Alice au pays des cauchemars

DU MÊME AUTEUR
DANS LE MASQUE :

Musique de nuit
Prix Cognac 2001

Bertrand Puard

Alice au pays des cauchemars

ÉDITIONS DU MASQUE

*L'auteur souhaite remercier Gérard Goffaux, qui a
prêté son talent à la réalisation de la carte.*

© BERTRAND PUARD
ET ÉDITIONS DU MASQUE-HACHETTE LIVRE, 2001.

Pour ma grand-mère Monique, avec amour.

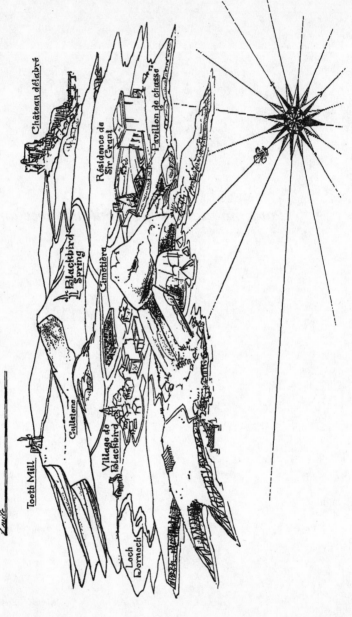

Blackbird Island

Tooth Mill

Château délabré

Gullstone

Blackbird Spring

Résidence de Sir Grant

Village de Blackbird

Cimetière

Pavillon de chasse

Loch Dornoch

« Et, se disait Alice, à quoi peut bien servir un livre où il n'y a ni images ni conversations ? »

Lewis Carroll, *Alice au pays des merveilles*

1

Dimanche 1ᵉʳ avril

C'est le vent froid qui apporta l'odeur de mort.

Paul Kite écrasait les touffes d'herbes sauvages sans se soucier de salir ses chaussures de ville. Autour de lui, c'était un paysage de fin du monde, comme si la bombe atomique était finalement tombée et qu'il ressortait d'un abri souterrain après quelque temps. Il n'aurait pas été surpris de découvrir, derrière un talus, les fondations calcinées d'une maison, devinant l'emplacement de chaque pièce grâce aux objets ayant résisté à l'explosion.

Kite revenait de Blackbird Spring par la lande, dédaignant la belle route goudronnée. Il préférait marcher sur cette terre sauvage, au risque de se fouler la cheville sur une des pierres du chemin. Distinguer les cailloux dangereux des autres : une occupation comme une autre, un jeu qui trotte dans votre tête et vous empêche de ressasser. Une route, c'est un endroit réservé aux seules voitures... pensait-il, et puis tout paraît si calme lorsqu'on marche sur le bitume, rien ne crisse, on se laisse aller, guidé par la cadence des pas... La monotonie s'installe et on se met à cogiter. Et Kite ne voulait plus cogiter.

Ici régnait le paradoxe de la lande, lieu éteint où plus personne ne s'aventurait : le vent, l'odeur âcre des effluves marins l'animait, lui procurait une vie propre, une personnalité. Pourtant la terre était restée vierge depuis quinze mille ans. Kite ressentait ainsi sa solitude. Auparavant, l'idée ne lui serait jamais venue : arpenter seul un tel paysage, en voilà une idée de fou. Aujourd'hui, il éprouvait le besoin de l'isolement. Ne plus parler et se vider la tête. Il y avait toujours un élément qui s'imposait à l'esprit de l'ex-inspecteur du Yard pour l'empêcher de ruminer ses derniers mois, ses dernières années, même.

Le dimanche 28 décembre 1997 avait marqué le début de sa longue descente neurasthénique, le commencement de sa dépression. Comment extraire de sa mémoire le bruit des machines respiratoires de la cellule de soins intensifs ; l'opération minutieuse pour extraire la balle de revolver fichée dans votre larynx ; et les longues heures de coma, quand la voix chevrotante de votre fille vous parvient clairement et que vous donneriez n'importe quoi pour commander vos satanés muscles et exprimer ainsi votre retour à la vie ?

Depuis Paul Kite préférait se promener seul, pour ne pas avoir à user ses cordes vocales portant les stigmates de ce jour maudit. Chaque fois qu'il entendait sa nouvelle voix, il se rappelait les paroles du médecin :

— Votre pomme d'Adam a sensiblement freiné la pénétration du projectile, mais vous avez une lésion importante sur la paroi pharyngée. (Il revoyait le visage de Michelle, sa femme, elle-même médecin, à l'annonce du diagnostic, ses yeux gonflés, ses cillements de paupières.) Nous avons fait tout notre possible pour sauver votre corde vocale supérieure, mais il se peut que vous souffriez d'une dysphonie.

En résumé, on lui avait annoncé qu'il changeait de voix. Son élocution ressemblerait désormais à celle d'un vieillard. Il s'était alors habitué à penser, à écrire plutôt qu'à s'exprimer. Une nouvelle vie commençait pour lui, une nouvelle façon d'appréhender son environnement également. Il se mettait à imaginer des personnages qu'il faisait parler dans sa tête, il dessinait des lieux dans son esprit pour ne pas avoir à les traverser.

— Tu es un romancier à ta façon, lui avait dit Michelle, un soir où il s'était confié. Si tu le voulais, tu pourrais t'atteler à la rédaction d'une histoire. Cela te ferait beaucoup de bien, j'en suis sûre...

Mais Kite ne se sentait pas encore le courage d'affronter la présence de l'écrit, les formes des lettres esquissant ses images et ses idées. Il savait que resurgiraient forcément toutes ses peurs enfouies, tous ses mauvais sentiments contre lesquels il ne cessait de lutter. Et puis cela représenterait un outil d'analyse psychologique bien trop facile d'accès pour Michelle.

Ce séjour sur Blackbird Island arrivait à point nommé. L'environnement lui convenait, plus encore que cette fameuse source censée posséder des vertus curatives sur les maladies du larynx. Depuis le départ de sa femme, il se sentait livré à lui-même, enfermé dans la solitude que ne briseraient pas les autochtones. On n'aimait pas l'étranger à Blackbird Island. Ne disait-on pas que quelques mois plus tôt, sir Grant, le plus riche habitant de l'île, avait déposé un projet de loi au parlement écossais pour supprimer les quelques lignes maritimes qui subsistaient entre le nord du pays et Blackbird?

L'île n'était pas très étendue. Il connaissait maintenant les quelques lieux lui donnant tout son cachet. Encore quelques centaines de mètres et il arriverait près de l'énorme roc où venaient souvent se percher les goélands cendrés. Les oiseaux sauvages le laissaient s'approcher. Mystérieusement, l'ex-inspecteur du New Yard arrivait à se glisser contre le rocher sans faire fuir les volatiles. Était-ce parce qu'il leur parlait? Parce que les sons s'échappant de sa gorge ressemblaient à leurs cris?

Il poursuivit sa marche, respirant fort l'air pur de la lande, s'apprêtant à rejoindre ces oiseaux qui n'éprouvaient pour lui aucune sorte de pitié. Mais Kite fut bien déçu lorsqu'il s'approcha de la pierre.

Pas de goélands. Il y vit un sombre présage.

Kite voulut contourner la pierre mais s'arrêta net. Ce qu'il découvrit en premier, ce fut la tête blonde, posée tout contre le sol rugueux. Les yeux de la petite fille étaient blancs sous les paupières aux trois quarts soulevées. Par expérience, il sut qu'ils étaient révulsés, mais une camarade de la petite fille aurait probablement dit :

— Tu t'es effacé les yeux, Pamela? (Il l'appela Pamela, sans s'expliquer pourquoi.) Tu voulais changer de couleur, c'est ça? Tu en avais assez que les garçons se moquent de tes yeux marron?

Toujours ce besoin de faire parler les autres. De fuir une situation qu'il ne se sentait pas capable d'appréhender.

Kite ne savait comment réagir. Il n'osait pas s'approcher. La poitrine de la petite fille était immobile. Les brins d'herbe près de son visage ne bougeaient plus. Elle avait cessé de respirer.

— Tu as arrêté ton cœur? se serait étonnée sa copine. C'est parce qu'il ne cessait de battre pour Kevin et que tu en avais assez qu'il n'entende pas?

Il n'arrivait pas à se convaincre que la petite fille était morte. Pour lui, un humain ne pouvait mourir sur Blackbird Island sans causer irrémédiablement un préjudice à l'environnement, sans briser à jamais l'équilibre de l'île.

Il ne s'expliquait pas ce curieux sentiment, mais les habitants de l'île étaient pour lui comme immortels. Comme si depuis la création de cette terre, ils ne vieillissaient pas, le démiurge des Orkney leur donnant à chacun un âge pour la vie. C'était l'impression que lui donnait ce temps figé à jamais sur l'île. Au *bed and breakfast*, plus une seule horloge ne fonctionnait.

Il devait s'approcher encore un peu plus, rejoindre le corps pour s'assurer qu'il ne restait plus rien à faire. Étendue à plat ventre, la petite fille était nue.

Paul Kite resta interdit, luttant pour ne pas détourner les yeux.

Cette vision lui retourna l'estomac. Sur son dos nu, on avait cousu deux grandes ailes recouvertes de plumes blanches. Certaines étaient gorgées du sang s'échappant des cicatrices en de minces filets noirâtres. À travers, Kite pouvait apercevoir le bout de tissu qui tenait l'ensemble. On aurait dit que la petite fille avait subi des points de suture tout le long de sa colonne vertébrale. Les ailes tenaient maladroitement grâce à un fil de laine passant et repassant sous l'épiderme.

La nausée le prit. Des plaques rouges recouvraient le bas du dos et l'intérieur des cuisses de la fillette.

Plus près encore, cette image lui parut définitivement insoutenable. Kite suffoquait, cherchant à inspirer par tous les moyens. Il détourna violemment la tête et posa sa paume contre le roc. Plié en deux, il cria, sans se soucier de la douleur qu'il ne manquerait pas d'éprouver pendant les prochains jours.

Le ciel gronda alors, annonçant l'orage. Tout en courant pour gagner la route, une phrase résonnait dans son esprit. Il aurait aimé ne plus l'entendre. Il la trouvait idiote, enfantine, dénuée de sens. Rejoindre le poste de police de l'île, voilà son but pour l'instant. Que cette voix cesse, que quelqu'un vienne à sa rencontre pour lui parler, il avait besoin de partager cette horrible vision, de ne plus être seul... Pouvait-on être d'humeur aussi changeante? Était-ce l'apanage des dépressifs? Tout recommençait... Il ne pouvait pas de nouveau être confronté à une telle horreur. Si une voiture venait à le frôler sur la route, il secouerait ses bras frénétiquement pour la faire stopper, ne cherchant plus à se cacher par tous les moyens derrière un buisson. Il voulait retourner dans le monde des vivants.

À cet instant, un éclair déchira le ciel et tomba non loin du rocher trônant si majestueusement au milieu du paysage. Une pluie diluvienne s'abattit d'un coup. Dans quelques minutes, la lande ne serait plus qu'un immense bourbier où l'on s'enfoncerait jusqu'aux genoux en y déposant son seul talon.

Encore quelques dizaines de mètre avant l'asphalte. Kite secouait la tête, non pour chasser l'eau de ses paupières, mais pour tenter de faire glisser les images du cadavre hors de sa tête. Son imperméable était déjà trempé. Il grelottait malgré la chaleur qui étreignait sa gorge.

« La fée de Blackbird Island est morte », chantait la voix d'enfant. « Elle ne pourra jamais plus voler... »

Kite accéléra sa cadence. Les gouttes lourdes et glacées lui firent un bien fou.

2

Deux jours auparavant...

— Faut pas vous faire de mouron, articula le capitaine du ferry tout en continuant de chiquer, la mère Pembry tient toujours son *bed and breakfast* sur Blackbird. Surtout, ne lui dites pas que vous venez de ma part, cette belle garce vous ferait payer le double !

Paul et Michelle Kite remercièrent l'homme. Avant de monter à bord, ils boutonnèrent soigneusement leurs cirés jaunes.

— C'est compris dans le prix de la traversée, avait marmonné l'employé de la compagnie *John O'Groats Ferries* devant les mines peu rassurées du couple Kite. On ne vous oblige pas à les mettre, mais la mer est dangereuse en ce moment. Ça ne vous protégera pas contre les vagues, mais au moins vous n'attraperez pas la mort.

Une fois à bord, Paul Kite se dirigea vers la proue du navire pour embrasser la mer du regard. L'air vivifiant et salé lui chatouilla la gorge. Il resta là de longues minutes. Ce fut Michelle qui le sortit de sa contemplation en venant lui passer un bras autour de la taille.

— Il y a un autre passager avec nous... Un touriste. Il porte une valise bariolée recouverte d'autocollants.

17

Elle l'embrassa dans le cou. Kite se débattit et grogna. Il n'était pas dupe de cette décision éclair de partir au fin fond de l'Écosse. Un soir de la semaine dernière, sa femme était arrivée tout enjouée de l'hôpital. Lui était encore vautré devant la télévision, une assiette sale au pied du fauteuil, une canette de bière à la main.

— Il faut partir en Écosse, s'était enthousiasmée Michelle, on m'a parlé d'une île des Orcades où il existe une source qui pourrait t'aider à retrouver ta voix !

Paul Kite n'avait même pas pris le soin d'éteindre la télévision. Raison pour laquelle ses anciens collègues du Yard ne venaient plus lui rendre visite : l'ex-inspecteur restait muet, les yeux fixés sur le téléviseur, bougonnant quelquefois des mots incompréhensibles.

— Blackbird Spring ! avait-elle néanmoins continué tout en agitant un bout de papier dans sa main. Il paraît que cette eau adoucit la gorge, qu'elle réduit les distensions des cordes vocales... Et puis, ça nous donnerait l'occasion de partir !

Kite s'était enfin décidé à éteindre la télé. Il tenta une première fois de s'extraire de son fauteuil. En vain. Sa dépression lui avait fait prendre une vingtaine de kilos. Il s'appuya sur les accoudoirs du fauteuil et y parvint enfin. La canette de bière glissa de ses mains et se renversa sur la moquette. Un juron s'échappa d'entre ses lèvres, les seuls mots que Michelle eût entendus de son mari depuis bientôt deux ans. Ces mots insultants que Kite lâchaient à tout bout de champ, ces expressions grossières qu'il murmurait de sa voix de vieillard... Comment avait-elle tenu jusque-là ? Grâce à son travail, très probablement. Depuis que Mary, leur fille, était partie à Paris pour étudier — et pour se mettre en ménage avec Clément, l'ancien stagiaire de Paul[1] —, la maison paraissait désespérément morte, avec pour seul mouvement la silhouette pataude de son mari arpentant chaque jour le chemin chambre-salon et pour seule présence sonore le bruit de fond de la télévision.

Ce soir-là, Michelle avait interprété sa fuite muette comme un refus. Mais elle n'allait pas céder aussi facilement. Pas cette fois. Paul était en train de se désagréger. Il s'enfermait dans une solitude que personne n'arrivait à percer. Il ne sortait jamais plus, refusant les invitations de ses amis pour aller boire une bière au pub. Un psychiatre, collègue de Michelle à l'hôpital, lui avait laissé entendre qu'il lui fallait réagir, sous peine de perdre définitivement son mari.

— S'il continue comme ça, avait asséné le médecin, il sera bientôt son propre prisonnier. Il enfouira sa dépression si loin dans son esprit qu'il lui sera impossible de s'en débarrasser. Elle deviendra sa nouvelle personnalité et alors son cerveau se comportera comme un simple injecteur de mélancolie. Il faut à tout prix lui trouver une occupation, le faire changer d'air...

Lutter contre ces traumatismes... Kite avait réappris à vivre après la terrible affaire de 1987. Celle de 97 l'avait à nouveau tué. C'était trop pour un seul homme, ces deux histoires à dix ans d'intervalle. La première fois, Kite s'était sorti de sa dépression. Mais aujourd'hui ?

Michelle n'insista pas et laissa son mari fuir son étreinte. Le ferry n'allait pas tarder à partir. La traversée durerait deux heures. Il avait fallu convaincre la compagnie de les prendre à bord du bateau jusqu'à Blackbird Island. L'île n'attirait plus les touristes depuis quelque

---

1. Voir *Musique de nuit*, du même auteur, collection Le Masque n° 2449.

temps. Elle semblait même vivre repliée sur elle-même, selon l'employé de la compagnie.

— Nous, on s'occupe simplement de les ravitailler. Ils nous faxent une liste et on s'occupe de tout. Ça fait bien longtemps qu'on a arrêté d'attirer le touriste. Au départ, ça marchait bien avec la source et les autres curiosités, mais sir Grant ne veut plus de publicité.

L'ambiance sur l'île n'allait pas être des plus gaies, pensait Michelle, mais elle s'en fichait bien. Elle ne croyait pas non plus à cette histoire de source, mais avait insisté sur ce point comme facteur déterminant pour obtenir l'accord de son mari. Il accepta sans vraiment chercher à se convaincre. Comme cela, sur un coup de tête. Le premier depuis décembre 97. Une semaine de vacances seulement tous les deux...

— Une semaine, pas un jour de plus! avait bien insisté Kite.

Michelle avait approuvé en tentant de réprimer la joie qui la tenaillait. Elle avait obtenu difficilement ses jours de congé en sachant qu'elle n'aurait aucune possibilité de les prolonger. Il lui faudrait profiter au mieux de cette semaine avec son mari.

L'ex-inspecteur alla s'accouder plus loin contre le bastingage. Il entendit les pas de Michelle sur le pont. Elle se rapprochait. Pourquoi était-il si distant avec elle? Pourquoi ne lui témoignait-il pas la moindre reconnaissance? Il ne savait plus qui il devait aimer, à qui il devait accorder sa confiance... Son meilleur ami l'avait si durement trahi... Il se retourna néanmoins vers sa femme et lui prit la main.

— Pour une première tentative de sortie, on ne fait pas semblant! fit-il.

Son ton n'avait rien d'ironique. Cela ne sonnait pas comme un reproche. Michelle serra fort la main de son mari. Elle avait appris à ne plus prêter attention à cette voix cassée, à ne plus serrer les lèvres ou bien encore plisser les yeux en écoutant cette tessiture si éloignée de ce qu'elle avait connu, de ce qu'elle avait aimé.

À ce moment, le moteur du ferry démarra. Il pétarada pendant quelques secondes, puis sembla stabiliser son régime. Devant eux, la mer s'agitait. Quelques oiseaux — des goélands pour la plupart même si Kite crut reconnaître un fulmar boréal — bravaient la tempête pour piquer droit sur la surface et tenter de remonter fièrement un poisson. Le ciel sombre était bas et la brume au loin renforçait cette impression de huis clos. On aurait dit que l'océan ne s'étendait plus que sur quelques mètres et que, derrière la nappe de brouillard, le bateau allait tomber à la verticale dans les profondeurs de l'infini.

Il frissonna alors que le ferry s'élançait. Il se sépara de sa femme et vint trouver le capitaine dans sa cabine. L'autre voyageur s'y était déjà réfugié. Il adressa un sourire à Kite, puis replongea dans la lecture du *Scotsman* du jour. Le bateau avançait sur la mer et se mit à tanguer. L'ex-inspecteur du Yard arriva tant bien que mal près du capitaine. L'eau des embruns dégoulinait sur ses joues.

— Faut dire à votre femme de rentrer! laissa tomber l'homme à la barre.

Il se dirigea vers la vitre qui donnait sur la proue du petit ferry et tapa dessus avec son poing.

— Vous escrimez pas comme ça! siffla le capitaine. Elle ne vous entendra pas. Faut aller la cueillir tout de suite, sinon elle risque de s'envoler!

Paul Kite ne comprenait pas l'attitude des habitants de John O'Groats depuis leur arrivée. Il savait que les autochtones du nord de l'Écosse étaient connus pour leur manque d'ouverture sur le reste du monde, mais il ne les imaginait pas suinter la xénophobie à ce point. Il se décida néanmoins à lui parler. Il éprouvait bien moins de difficulté à s'exprimer devant une personne antipathique que devant ses proches et bien moins de honte devant un inconnu.

— Vous êtes sûr que nous pourrons atteindre Blackbird par ce temps ? questionna-t-il.

— Savez pas lire ? glapit l'Écossais en crachant sa chique usée sur un panneau accroché au mur. « Interdiction formelle de discuter avec le capitaine ». Feriez mieux de vous installer dans la cale. Il y a une bouilloire. Dites à votre bourgeoise de vous préparer un thé.

Sans demander son reste, Paul Kite quitta la cabine après avoir vérifié pour la énième fois que son ciré était boutonné. Au-dehors, le vent lui sifflait aux oreilles. Michelle était bien intrépide de rester ainsi, face à la tempête. Il la rejoignit en s'aidant des cordes du pont.

— Il faut aller dans la cale ! lui hurla-t-il à l'oreille pour couvrir le bruit des lames se fracassant contre la coque.

Elle secoua la tête.

— Je suis trop bien là ! Je ne veux pas passer la traversée enfermée au fond du bateau !

— C'est un ordre du capitaine, fit Kite. Plus on avancera et plus la mer sera déchaînée...

Michelle n'hésita pas une seconde. Son mari la priait de venir avec lui. Elle était exténuée depuis le début de leur long périple depuis Londres. C'est elle qui avait couvert les six cents miles[1] au volant de la Clio. Paul ne voulait plus conduire. Cela faisait trois ans qu'il ne s'était pas remis derrière un volant. Même la nuit de repos à l'hôtel de John O'Groats n'avait pas reposé Michelle Kite. Elle

---

1. Neuf cent cinquante kilomètres.

était persuadée que seuls les gestes tendres de son mari pourraient maintenant lui redonner la forme. Et il en était si avare! Elle marcha dans les pas de Paul tout en fixant la cabine du capitaine. Ce dernier avait le visage sombre. Était-il inquiet? Elle n'osait le penser.

Ils descendirent l'escalier menant à la cale. C'était une salle de taille moyenne aménagée très sommairement d'une table, de quatre chaises et d'un banc. En plus des gilets de sauvetage et du matériel de survie, on y trouvait une petite étagère débordant de livres et quelques jeux de société. Sur la table, des mugs tintaient les uns contre les autres à chaque mouvement du bateau. Le voyageur était en train de remplir la bouilloire électrique. Un journal traînait sur la table.

— Prenez place, fit-il simplement. Je me charge de la théière.

Kite détailla leur compagnon de voyage. C'était un garçon d'une vingtaine d'années tout au plus. Il était vêtu d'un simple jean et d'un chandail de laine gris. Son visage allongé au nez aquilin était surmonté d'une touffe de cheveux noirs très foncés. À en juger par son accent, Kite avait devant lui le portrait type du jeune Écossais. Néanmoins, il semblait bien plus aimable que ses congénères.

— Merci, dit Michelle en prenant place sur une chaise.

— Sale temps, hein? constata le jeune homme.

— On ne s'attendait pas à trouver le soleil de la Riviera! rigola Michelle.

L'Écossais arrêta la bouilloire et attendit de verser l'eau bouillante dans la théière avant de continuer la conversation.

— Vous venez de Londres, n'est-ce pas? Mais vous êtes française, n'est-ce pas?

Michelle approuva, tandis que Kite distribuait les

mugs. Ils étaient d'une propreté douteuse, mais il fallait bien faire avec.

— Je suis garçon boucher à John O'Groats, continua le jeune homme. Je m'appelle Herbert.

Par la trappe entrouverte, on entendait le bruit de la mer.

— Vous me preniez pour un touriste, n'est-ce pas? Quelqu'un qui, comme vous, veut se rapprocher de la source magique de Blackbird?

Michelle et Kite se regardèrent. Le capitaine avait-il vendu la mèche à son compatriote?

— À la grande époque de l'île, il y avait six allers et retours par jour! Tous les touristes du Nord faisaient un détour obligé par Blackbird Spring. Il fallait entendre tous ces fumeurs qui revenaient de la source, la clope au bec, en disant qu'ils venaient de s'immuniser contre le cancer de la gorge...

Il dévisagea Kite, puis jeta un rapide coup d'œil vers la théière. Il était temps de servir le thé.

— Cancer? demanda-t-il à brûle-pourpoint.

Michelle allait commencer une phrase, mais Kite l'en dissuada en posant la main sur son bras.

— Non. Dysphonie. J'étais flic. J'ai reçu une balle dans le larynx.

Paul Kite préférait les phrases courtes, évitant ainsi tout chevrotement intempestif. Il ne savait pas pourquoi il avait répondu si sincèrement à l'Écossais. Peut-être simplement parce que le jeune homme ne coupait pas les cheveux en quatre, qu'il n'avait éprouvé aucune gêne pour demander la raison de cette voix éraillée...

— Une chance qu'elle ne vous ait pas tué! lança subitement Herbert, sur le ton de la raillerie.

Cette phrase trottait dans la tête de Kite depuis le début de sa dépression. Il savait que chacun de ses interlocuteurs devaient le penser lorsqu'il leur assenait son histoire. Mais aucun n'avait eu le courage de le lui dire, comme s'ils considéraient son infirmité plus handicapante que la mort elle-même. Ce jeune homme lui plaisait. Il haïssait les gens s'empêtrant dans un salmigondis d'apitoiement et de compassion.

— Ma femme a entendu parler de Blackbird Spring. (Il n'éprouvait plus aucune gêne à s'exprimer.) Je n'y crois pas une seule seconde, cependant c'était l'occasion de m'aérer un peu. J'ai toujours voulu connaître l'Écosse, mais je n'y suis jamais allé. C'est curieux pour un gars originaire de Liverpool, vous ne trouvez pas?

Herbert sourit et versa l'eau bouillante dans les mugs.

— Les îles Orcades n'attirent pas les touristes, continua le garçon boucher. L'environnement est bien trop rustre, bien trop sauvage. Et puis Blackbird est si particulière. Elle vit en autarcie. Certains disent même que les trois quarts de la population n'ont jamais quitté l'île de leur vie.

Herbert porta le mug à ses lèvres et le reposa aussitôt.

— Sir Grant tient beaucoup à ce que les traditions ancestrales subsistent. C'est un homme bon. Tout le monde le respecte et personne ne trouve jamais rien à redire lorsqu'il parle. C'est pourquoi je fais le trajet aujourd'hui! Chaque année, c'est la même chose : il téléphone à mon patron quelques jours avant le *Tailing Day* pour que je vienne leur apporter le nécessaire.

Michelle et Kite remarquèrent le sourire espiègle de Herbert. Il tapotait sa valise en attendant visiblement qu'ils lui demandent de l'ouvrir.

— Qu'est-ce que le *Tailing Day*? demanda Michelle.

— Je vous intrigue, n'est-ce pas? rigola l'Écossais en posant son chargement sur la table. C'est une fête bien particulière qui n'est plus guère respectée dans les Orcades de nos jours. Mais sir Grant y tient beaucoup.

Il défit les attaches de sa valise et l'ouvrit d'un coup sec. Le couple ne put réprimer un cri d'étonnement. La valise était remplie à ras bord de queues de cochons pour la plupart desséchées. Ils reconnurent immédiatement l'appendice porcin à sa forme si particulière en tire-bouchon.

— Le 2 avril, les enfants doivent attacher ces queues dans le dos des adultes. Les plus courageux choisiront les flics ou les professeurs. Ce sont des vraies. Ailleurs, on utilise du papier ou un bout de corde, mais c'est bien plus drôle comme ça!

Il referma sa valise en continuant de glousser.

— Il faut voir le dos de sir Grant à la fin de la journée! C'est un défi pour les mômes d'aller épingler le dos du personnage le plus important. Il se laisse faire, feignant de ne s'apercevoir de rien! C'est un grand monsieur...

Kite avait déjà terminé son thé. Le breuvage l'avait rasséréné. Sa gorge le chatouillait depuis leur arrivée en Écosse. Il supportait très mal l'air saturé d'humidité.

— Sir Grant est le propriétaire de l'île? questionna Kite.

— Pas à proprement parler, précisa le jeune homme, plutôt un mécène. C'est un milliardaire philanthrope. Il fait vivre Blackbird en s'occupant de tous les travaux, en payant les impôts des habitants... C'est lui qui a mis en place un poste de police permanente sur l'île ainsi qu'une petite structure hospitalière. Il tient sa fortune de son père qui la tenait lui-même de son père. C'est lui qui a décidé de ne plus attirer les touristes sur l'île. Feu sir Grant menait lui-même les visites des chambres funéraires et des pierres tombales. Elles ont été dressées bien avant les pyramides d'Égypte. N'oubliez pas d'aller y jeter un coup d'œil...

— L'île est si vieille que cela? s'étonna Michelle Kite.

— C'est ce que j'ai toujours entendu dire. Les îles ont été façonnées par des glaciers il y a longtemps. C'est pourquoi il y a cette légende qui circule autour de Blackbird...

Le jeune homme s'emballait presque. Il semblait intarissable au sujet de leur destination. Il continua, toujours sur le même ton enjoué. Il n'avait pas encore touché à son thé.

— On dit que c'est un corbeau géant qui a façonné l'île, il y a quinze mille ans, en s'écrasant contre un iceberg. La bestiole se serait fossilisée et ses ailes dépliées auraient formé l'île de Blackbird[1]. Vous verrez facilement tout à l'heure pourquoi cette légende est toujours aussi vivace... Il y a un énorme rocher qui surplombe la mer au sud de l'île, non loin de la demeure de sir Grant. La pierre n'a pas été taillée et pourtant on le jurerait. Quand on arrive en bateau, on voit quelque chose qui ressemble étrangement à une tête d'oiseau... À une tête de corbeau... Certains disent qu'il s'agit du fossile de la boite crânienne de l'animal géant.

Kite et Michelle étaient fascinés par le récit du garçon boucher. Ils n'avaient plus la sensation de se trouver dans un bateau au large de l'Écosse, s'enfonçant encore un peu plus dans la mer du Nord, mais autour d'un feu de bois dans la haute salle d'un château. Herbert était leur troubadour. L'Écossais avait un pouvoir d'évocation qui, au-delà de ses mots, de ses images, passait également par son phrasé.

— On comprend pourquoi sir Grant tient à préserver le folklore local, fit Kite, une fois ses esprits recouvrés.

---

1. *Blackbird* signifie « corbeau » en anglais.

Herbert hocha la tête et but enfin son thé, en une seule lampée. Il fit claquer sa langue, puis reposa son mug.

— Encore une heure de bateau et nous arriverons sur Blackbird !

Kite aurait aimé partager l'enthousiasme du jeune homme. Certes, le récit avait piqué sa curiosité au vif, mais qu'allait-il pouvoir bien faire avec Michelle sur l'île pendant une longue semaine ? Cela sonnait comme une éternité sur cette terre dépourvue de tout. C'était étonnant. Depuis combien de temps n'avait-il pas été intrigué par quelque chose ? Et si c'était cela justement qui lui apportait la paix... Les paysages déserts et mélancoliques, le calme des landes fauchées par le seul vent ? Il fuyait la foule et la gaieté. Sur Blackbird, il ne risquait pas d'avoir affaire à cela.

Personne n'avait voulu l'interrompre dans ses pensées. Herbert avait repris la lecture de son journal, Michelle nettoyait les mugs et la théière. Il sentit ses paupières s'affaisser au rythme des tangages et se rejeta en arrière contre le dossier du banc.

Pendant le reste du voyage, Kite s'assoupit, la tête de Michelle posée sur son épaule.

Ils débarquèrent alors que la nuit ne se décidait pas encore à tomber malgré l'heure tardive. Les journées étaient bien longues sur les îles Orcades. Kite s'était réveillé en entendant les murmures de sa femme. Elle l'enjoignait à regagner le pont du ferry pour apercevoir le rocher dont Herbert leur avait parlé. De loin, il ne semblait pas imposant, mais au fur et à mesure que le bateau allait à sa rencontre, il prenait une allure plus majestueuse, plus inquiétante également. Posée en haut d'une falaise aux parois très sombres, la lourde pierre avait bien la forme d'une tête de volatile, ovale, avec deux excavations dessinant les yeux et un promontoire esquissant le bec du corbeau.

— Blackbird Island, murmura Kite alors que Michelle ne pouvait détacher ses yeux de la falaise.

Le vent soufflait toujours aussi fort. L'ex-inspecteur du Yard n'était pas mécontent de retrouver la terre ferme. Son programme pour la soirée était déjà décidé : ils se contenteraient de prendre leur chambre puis d'aller dîner au pub.

Le bateau jeta l'ancre sans difficulté au seul débarcadère de l'île. Ce n'était pas à proprement parler un port, car aucun bateau n'y stationnait. Leur lieu d'arrivée se situait à l'ouest du rocher du corbeau. À cet endroit du rivage, la côte était plate. Pas de falaises à l'horizon. Derrière le débarcadère, Kite aperçut les contours de quelques habitations.

— Vous allez voir demain à l'école comment les gosses vont m'acclamer avec mes queues de cochon! se réjouissait déjà le garçon boucher, pressé de débarquer, sa valise à la main. Je suis attendu comme le messie sur l'île!

L'image fit sourire le couple Kite. Le jeune Écossais avait l'air si sincère et si sympathique. Il n'attendit pas l'arrêt total du bateau pour se jeter sur le quai. Le capitaine du ferry hurla une mise en garde, mais les mots se perdirent dans la houle. Michelle et Kite, plus sages, attendirent son assentiment. Il les rejoignit sur le pont. Son ciré était parfaitement sec.

— Vous avais dit de rester à l'abri jusqu'à notre mouillage, grommela-t-il. Vous êtes trempés... Allez vite vous sécher chez la mère Pembry. Sa maison est au fond du village, dans la direction du rocher.

Kite récupéra leurs deux valises. Il avait hâte de se poser.

— Si l'île vous plaît pas, je reviens dans deux jours vers les midi pour livrer une commande de pharmacie. Après, faudra rester la semaine entière. On annonce une tempête de tous les diables entre Flotta et South Ronaldsay. Blackbird devrait être épargné, mais on ne pourra plus y accéder depuis la côte écossaise...

Il fit tourner sa grosse moustache noire entre ses doigts. De fines gouttelettes de bruine roulèrent sur son menton. Kite et Michelle hochèrent la tête.

— D'ici là, portez-vous bien! conclut-il.

Les deux passagers remercièrent le capitaine et mirent enfin pied à terre. Pendant leurs premiers pas, ils eurent l'impression que l'île entière tanguait. Puis tout se stabilisa et ils pénétrèrent plus avant dans le village.

De gros bouquets sauvages de fuchsias les accueillirent tout le long du chemin pavé. Le paysage semblait vallonné. On voyait le toit de certaines maisons sortir de terre, alors que d'autres étaient construites sur des bosses. Le village, de petite superficie, était bordé sur la gauche par une lande touffue. Kite apercevait les buissons sauvages quand la perspective lui en donnait la possibilité. Plus loin, sur sa droite, on pouvait détailler la façade de bâtiments modernes et grossiers qui ne s'intégraient pas dans le paysage. On aurait dit qu'ils avaient été posés ici contre nature. À l'horizon, on distinguait le rocher à la tête de corbeau, cinglé par la pluie, et les contours d'une immense maison, très probablement la résidence de sir Grant.

Ils devaient traverser le village pour se rendre au *bed and breakfast*. Les ruelles du vieux quartier étaient étroites. Michelle et son mari passèrent entre de hautes maisons de pierres grises qui assombrissaient considérablement les rues. Après quelques dizaines de mètres, Kite stoppa son avancée, frappé par des reflets argentés se balançant au-dessus de sa tête.

À la lanterne d'une des maisons, on avait fixé un gibet de la taille d'un enfant. Un vieux parchemin y était attaché. On pouvait y lire : « Prends garde, trow[1] ! Signé : Wilfred, l'homme au masque de corbeau ». Kite y vit une plaisanterie de garnement en manque d'aventure. Il se mit sur la pointe des pieds pour apercevoir le fond de la cage. Il aperçut de petits ossements. Cela le troubla quelque peu, mais il n'en dit rien à Michelle. Sa femme ne s'était pas arrêtée devant le gibet et avait continué son chemin. Elle débouchait à présent sur la place du village, là où se trouvaient l'église et un pub répondant au charmant nom de *The Wild Boar*[2]. On y jouait du violon. La musique traversait la porte de l'établissement pour égrener ses notes sur la place déserte.

L'atmosphère du village était bien étrange. On avait l'impression d'être revenu en arrière, à l'époque des contrebandiers du *Moonfleet*. Seuls les quelques lampadaires de la place vous dissuadaient de pousser plus loin votre retour dans le temps. Sur chacun d'entre eux on avait accroché un haut-parleur. Kite le remarqua dès son arrivée sur la place.

— Dépêche-toi, le pressa Michelle, plus vite nous serons au *bed and breakfast*, plus vite...

— On n'est pas aux pièces, rétorqua-t-il, détaillant les maisons entourant la place, les yeux grand ouverts. On ne se fera pas voler notre chambre, ne t'inquiète pas. L'office de tourisme de Blackbird ne doit pas être submergé de demandes...

À ce moment, une chouette survola la place en poussant un petit hululement, qui arracha à Kite un gloussement juvénile. Michelle sourit elle aussi. Cela lui faisait

---

1. Sorte de troll dans les légendes des îles orcades.
2. Le Sanglier.

tellement plaisir d'entendre à nouveau le rire de son mari. Kite traversa la place pour se rapprocher du pub. La musique lui plaisait beaucoup. « Comment ? » s'étonna-t-il lui même. « Quelque chose te plaît donc ? » Sur la porte de l'établissement, une flèche était plantée. Kite fronça les sourcils. Décidément ! Les habitants du village étaient bien espiègles. Il se rapprocha en essayant de ne pas se faire voir des fenêtres. Son jean et son blouson étaient lourds d'humidité et cela le gênait dans ses mouvements. Il détailla la flèche : les plumes étaient noires. Sur chacune d'entre elle, une tête d'oiseau était dessinée au trait blanc. « Une tête de corbeau », pensa l'ex-inspecteur du Yard.

Il rejoignit Michelle qui s'impatientait. Elle n'avait pas voulu marcher plus en avant sur la place.

— Nous aurons bien le temps après... marmonna-t-elle. Allons poser nos bagages pour le moment...

Kite ne lui souffla pas un mot au sujet de la flèche. Il trouvait cela amusant, alors que sa femme n'aurait pas manqué d'y voir quelque chose d'inquiétant.

Ils remontèrent la rue principale du village, en direction de leur *bed and breakfast*. Subitement, l'alignement des maisons de pierre laissa place à une rangée de bâtiments plus modernes. Ils passèrent devant l'école, le poste de police et la caserne de pompiers. Ce changement architectural sonnait comme un retour à la civilisation.

— Je n'ai jamais vu ça, s'enthousiasma Kite. Quel contraste ! Tu as remarqué : en arrivant, le gibet et les petites rues pavées... Et là, le goudron et les parpaings ! L'Écossais ne mentait pas quand il nous a dit que le temps semblait s'être arrêté sur Blackbird ! Et je parie que l'île entière regorge de curiosités du même acabit ! Les autochtones doivent être sacrément attachants...

Mais Michelle ne semblait pas faire attention à l'exaltation de son mari.

— Cette tempête m'ennuie, lâcha-t-elle subitement. Tu sais que je dois impérativement reprendre mon service vendredi prochain. Si le bateau ne peut revenir que dimanche 8, je vais être obligée de repartir dans deux jours...

— Alors je rentre avec toi, murmura Kite.

Mais il ne savait pas encore que l'île allait lui plaire au-delà de toute attente. Ce premier contact avait été si étrange. Il l'aimerait au point de la posséder pour lui seul, de se l'approprier dans sa solitude. Il y verrait le meilleur endroit pour y entamer la reconstruction de sa personnalité qu'il n'avait jamais pu réussir à Londres...

Le calme était revenu sur l'île. Le soleil commençait à décliner. Ils continuèrent leur marche, dans les pas de leurs ombres.

3

Il ne reconnaissait plus rien. L'eau ruisselait sur son visage en une cataracte infernale qui brouillait jusqu'aux couleurs du paysage. Il luttait contre cet orage, probables prémices de la tempête annoncée par le capitaine du ferry. Sa femme devait être arrivée à bon port, il l'espéra tout en la maudissant de ne pas être avec lui en cet instant.

— Michelle, aurait-il pleurniché, la tête posée sur ses genoux, tout recommence... J'ai revu la mort de près... Pas la mienne... Non, bien pire... Celle d'une petite gosse...

Kite suivait la route goudronnée, le regard fixé sur le ruban blanc continu pour s'empêcher de dérailler. La route passait près du village pour se diriger ensuite vers le loch Dornoch. Il lui fallait bifurquer avant pour rejoindre le poste de police. Peu de solutions se proposaient à lui : il devait traverser le cimetière ou bien le contourner et se rallonger d'une dizaine de minutes.

Un point de côté lui tiraine subitement l'estomac. Son diaphragme se contracta violemment et il dut convaincre son corps de ne pas s'arrêter, sous peine de n'être plus en état de repartir. Il expirait bruyamment, commençant à ressentir des picotements sur sa gorge blessée. De la fumée se diffusait dès la sortie de sa bouche, ajoutant une couche de plus à la nappe de bruine.

Le calme avant la tempête. Kite n'avait jamais aimé cette expression toute faite, mais il la trouvait fort à propos dans cette situation. Il revenait paisiblement de la source par la lande, marquant un arrêt devant la *Gull's Stone*, comme à son habitude. Il contournait la pierre et apercevait le corps chétif de cette petite fille, dans le plus strict appareil des fées, jusqu'aux ailes qu'on lui avait greffées sur le dos. Alors la tempête s'était déchaînée en lui, mais aussi autour de lui, comme si la nature souhaitait partager ses émotions intimes.

Sans même réfléchir, il quitta la route et avisa le mur d'enceinte du cimetière de Blackbird. Pourquoi ne pourrait-il pas traverser un espace recouvert de pierres tombales? Était-ce ce côté lugubre appuyé? Ce cliché macabre usé par les écrivains et cinéastes en mal de terreur facile? Il poussa la grille. Le gravier crissa sous ses pas affolés. L'allée centrale était une ligne droite parfaite, on ne pouvait s'en détacher. L'herbe s'agitait sous l'action conjuguée de l'eau et du vent. Entre les tombes, là où elle poussait ou repoussait, Kite crut déceler des noms laissés par une rafale de vent... « Pamela », semblait geindre le gazon, puis, entre deux autres sépultures, « Mohune ». Il secoua la tête pour se contraindre à détourner le regard. Pourquoi son esprit vagabondait-il comme cela? Depuis le début de sa dépression, il avait constaté que son imaginaire prenait souvent le dessus sur la réalité. C'était fuir. Il voulait fuir. Mais pas en cet instant.

Il n'entendait plus les bruits de la nature, son souffle l'en empêchant. L'orage serait court. Il était bien trop violent pour durer. À une centaine de yards, Kite voyait la bifurcation qui le mènerait vers son but. Il devait tourner à droite. Un rictus lui échappa. S'il prenait tout droit, il marcherait dans l'herbe pendant quelques secondes avant de rencontrer le vide et d'aller se fracasser la tête contre les rochers acérés de la falaise. S'il prenait à gauche maintenant, il continuerait sur la route, puis arriverait devant le lourd portail de la demeure de sir Grant. Quelle tête pouvait bien faire le rocher à la tête d'oiseau quand les éléments se déchaînaient sur lui ? À nouveau, un rictus. Kite se maudit. Une image l'empêchait de se concentrer sur sa course. Celle de l'île tout entière après l'orage... Le promontoire en forme de bec s'ouvrait en deux et le rocher se mettait à piailler. Alors, l'île se secouait pour faire fuir l'eau de sa terre, des ailes fossilisées du volatile. Il faillit se prendre les pieds dans une bordure et trébucher, mais se rétablit au dernier moment. Les habitants se seraient habitués à ces tremblements de terre et ne craignaient ainsi plus l'orage en lui-même, mais sa terrible conséquence : le réveil du corbeau géant.

Kite ne croisa aucun habitant sur sa route. Il arriva au poste de police alors que l'intensité de la tempête déclinait. Fiché entre l'école et le bâtiment administratif de Blackbird Island, le petit bâtiment moderne portait une simple pancarte : POLICE DE L'ÎLE. L'ex-inspecteur du Yard s'y rua sans même reprendre son souffle.

Ce qu'il apprécia tout d'abord, ce fut le calme qui régnait dans la pièce. Il s'accouda au chambranle de la porte.

— Une petite fille, haleta Kite, morte... Près de la pierre...

Le policier de faction ne bougea pas. Il lisait un roman, tranquillement assis derrière son bureau. Kite réitéra son appel. Sa phrase avait dû être un simple souffle. Mais l'autre ne bougea pas davantage.

— Un moment, fit-il, simplement.

Paul resta médusé.

— Il y a un cadavre dans la lande, dit-il, cette fois en haussant le ton.

Le policeman bougonna pendant quelques secondes, puis se décida à fermer son livre et à se lever.

— Vous êtes trempé, constata-il, je vais vous chercher une serviette...

Kite tituba vers le bureau et s'affala sur la chaise. Ses jambes se détendirent aussitôt. Il eut l'impression qu'il ne pourrait jamais plus se lever.

— Il ne faut pas sortir vous promener sans parapluie, lança le policier, en train d'ouvrir un placard dans la pièce d'à côté. En avril, le ciel ne nous épargne rien!

Il revint et lui tendit la serviette propre.

— Sergent Bolt, fit-il en serrant la main de Paul. Prenez votre temps... Mouillé comme vous êtes, vous risquez d'attraper la mort...

Kite sursauta. La mort, il l'avait vue. Bolt était l'un des deux policiers de l'île. Sir Grant avait engagé deux hommes du village pour assurer une sorte de service d'ordre. Ils ne faisaient pas partie du Yard, mais portaient un uniforme très ressemblant, sombre avec un casque noir aux reflets argent. Kite les avait déjà croisés au pub et dans les rues du village. Ils sillonnaient souvent l'île au volant d'un gros 4×4.

— Vache d'orage! continua le flic, en regardant la pluie s'égrener contre la rosace au-dessus de la porte. Vous venez d'où comme ça?

— De la *Gull's Stone*, articula Kite, il y a une petite fille morte là-bas...

Bolt ne sembla pas s'émouvoir. Il rangea son roman dans un tiroir et fixa l'ex-inspecteur droit dans les yeux.

— Aucune disparition ne nous a pourtant été signa-lée...

S'il avait eu le courage et la force de le faire, Paul aurait saisi le flic au collet et l'aurait traîné jusqu'à la pierre. Il ne semblait accorder aucune importance à cette nouvelle. Kite se demanda même s'il devait continuer son récit. Pourquoi la population de Blackbird réagissait-elle si bizarrement aux événements?

— On lui a cousu des ailes dans le dos... De vraies plumes... Elle s'est vidée de son sang... Il coulait par les sutures mal cicatrisées...

Bolt soupira. « Récit déstructuré », pensa Kite. « Voilà ce que doit signifier ce soupir... Comment pourrait-il croire les affabulations d'un dépressif? » Un profond sentiment de lassitude l'envahit.

— Aucune petite fille n'a été portée disparue sur Blackbird ces derniers jours, Mr...?

— Kite.

— Mr Kite... reprit le policier. Croyez bien que nous serions sur les dents si un tel événement se déroulait chez nous...

— Comment osez-vous être aussi sûr de vous? cracha Paul, les joues en feu. Je vous dis que j'ai vu le cadavre de mes yeux... Son corps nu... couvert de sang séché...

— Les orages des Orcades font tourner les têtes, Mr Kite, c'est bien connu...

Bolt avait porté la main à sa ceinture. Il se tenait prêt à dégainer pour menacer son interlocuteur ou finir de le convaincre de sa méprise.

— Si vous ne voulez pas prêter attention à ce que je vous rapporte, libre à vous... grinça Kite en se mordant les lèvres. Ce n'est pas un milicien dans votre genre qui va me dicter ma conduite. (Sa voix devenait caverneuse.) Je vais appeler la police de John O'Groats...

Bolt ne cilla pas. Même à l'emploi du mot « milicien ». Kite entendit des pas résonner au loin. Le deuxième flic devait descendre de l'étage.

— Je veux simplement vous épargner des démarches inutiles, Mr Kite. Vous n'êtes pas le premier à être victime d'hallucinations durant les orages. Ces phénomènes sont courants. (Son collègue arriva à cet instant dans la pièce et salua Kite d'un geste de la tête.) Il s'agissait sûrement de la réverbération d'une image de votre esprit sur la pierre trempée... Cas typique d'autosuggestion... Un éclair qui tombe non loin et qui vous perturbe au point de prendre le cadavre d'un *skarfie*[1] pour celui d'une gamine... « *I weigh day and night, says the shopkeeper, there you are sir — a shillingworth of sun*[2] », comme dit la comptine...

Bolt avait l'air fier de lui. Il souriait bêtement, les mains posées de nouveau à plat sur le bureau.

Mais Kite savait qu'un cadavre reposait bien sur la lande. Les dodelinements de tête de l'autre flic le décidèrent à quitter les lieux. Quelque chose ne tournait pas rond sur Blackbird. Quelque chose qu'il aurait dû déceler plus tôt pour repartir en ferry avec Michelle ce midi...

Son visage et ses cheveux étaient maintenant parfaitement secs. Que pouvait-il bien dire à présent? Il ne lui restait plus qu'à rentrer au *bed and breakfast* et prévenir la police de la côte. Les deux flics le fixaient étrangement, un sourire au coin des lèvres.

— Continuez à lire votre roman, cracha Kite. Je vais prévenir le poste de John O'Groats.

Bolt ne se départit pas de son sourire. L'autre flic quitta la pièce sans mot dire.

Excédé, rouge d'une colère trop longtemps contenue, l'ex-inspecteur renversa sa chaise et se dirigea vers la

---

1. Nom local pour désigner un cormoran.
2. «Je ménage le jour et la nuit, dit le marchand. Vous voilà, monsieur! Je vous mets du soleil pour un shiling. »

porte. Son blouson et son pantalon étaient encore trempés, mais il n'en avait cure.

— Bonne fin de journée, Mr Kite.

Bolt lui adressait ce dernier pied de nez d'une voix susurrante pleine de mépris. « Ne te retourne pas », se dit-il. « Sors du bâtiment, rejoins le cottage de Mrs Pembry et jette-toi sur le téléphone. » Il se retrouva sur le perron du poste de police. Le ciel s'était calmé. « Les imbéciles... » continuait-il à fulminer. « Ils ne veulent pas croire un étranger... Surtout un de ceux qui attendent après une source croupissante pour guérir... Un malade mental, un fou dangereux... » Pourquoi avait-il accepté la proposition de sa femme ? Il n'était pas dupe au sujet de la source. Pour lui faire plaisir, tout simplement ? Il se mit subitement à éprouver un profond sentiment de dégoût pour Michelle. Pourquoi l'avait-elle laissé sur l'île après l'y avoir accompagné ? Pour avoir la paix dans la maison de Finchley ? Pour l'acculer à changer profondément son attitude envers elle ?

Hier soir, ils avaient fait chambre commune. Ils avaient dormi dans le même lit. C'était la première fois depuis le début de sa dépression. À Finchley, Michelle dormait dans la chambre de Mary.

Dans la nuit, ils avaient fait l'amour. Michelle s'était blottie contre le corps de son mari et Kite s'en était trouvé bouleversé. Le contact du tissu contre sa peau nue avait déclenché en lui une réaction dont il ne se croyait plus l'hôte. Quand sa femme avait fait glisser sa chemise de nuit par-dessus elle, un violent besoin sexuel l'avait secoué. Si elle avait répondu à son étreinte, en l'acceptant avec une joie non feinte, Kite n'avait pu retrouver ses sensations. La jouissance semblait l'avoir définitivement abandonné. Il s'était retourné contre le mur en laissant Michelle savourer la sienne. Ensuite, le sommeil avait tardé à venir.

Était-ce pour cela que Michelle l'avait emmené sur l'île ? Pour dormir dans le même lit et respirer de nouveau le musc de son mari ?

Il marcha sous les fines gouttes et cela lui fit du bien. Le *bed and breakfast* n'était pas loin et il n'eut pas à se mouiller de nouveau.

Hélas, le verrou était fermé et il n'y avait personne. Kite eut beau s'escrimer sur la sonnette, personne ne vint lui ouvrir. Il fallait absolument qu'il passe ce coup de fil. Décidément, le monde entier se liguait contre lui pour l'empêcher de prévenir la police. Non... Il ne devait pas se dire de pareilles choses... « Ne sombre pas dans la plus parfaite paranoïa », se rabroua-t-il. Il s'étonna néanmoins de trouver porte close.

— Je ne vous laisse pas de clefs, leur avait annoncé Mrs Pembry lors de leur arrivée. Je ne sors pour ainsi dire jamais.

Michelle s'en était étonnée.

— Vous ne rentrerez pas bien tard le soir, avait-elle continué de sa voix de crécelle en mélangeant quelques mots d'anglais et de *norn*[1]... Y a rien à faire sur Blackbird.

En maudissant la si aimable Mrs Pembry, il rebroussa chemin en direction de la poste du village. Il s'agissait en fait de la partie d'une veille maison de pierre surmontée d'un écriteau. Kite l'avait aperçu lors de son arrivée. Sur la porte, on avait écrit à la main : TÉLÉPHONE DISPONIBLE. Tous les habitants de Blackbird ne devaient pas posséder de ligne chez eux.

C'est quand il repassa devant le poste de police qu'il

----

1. Le *norn* est la langue locale des îles Orcades.

eut son second sursaut de la journée. Les deux flics semblaient s'affairer autour de leur 4x4. Kite n'osa passer devant eux et préféra attendre sagement dans un recoin de l'école toute proche. Il ne les entendait pas, mais restait ainsi invisible. Bolt semblait très nerveux. Des tics le secouaient alors qu'il chargeait une civière vide à l'arrière de l'imposante voiture. L'autre policier, dont Kite ignorait toujours le nom, était déjà au volant et faisait vrombir le moteur. Après avoir fermé le coffre, Bolt tapota sur la vitre et aida la Range Rover à reculer pour sortir de la cour.

Kite se tassa un peu plus derrière le mur. Il pouvait à présent entendre les paroles du policier.

— Magne-toi ! fit-il en montant à l'avant de la voiture.

Les pneus de la quatre roues motrices agrippèrent le sol mouillé et s'élancèrent en direction du cimetière.

— Vers la lande, chuchota Kite.

Il éprouvait une douleur à chaque mot prononcé. Son entretien avec Bolt l'avait usé. Les deux flics se rendaient à la *Gull's Stone*, il en aurait mis sa main à couper. Devait-il prendre cela comme une victoire ? Mais pourquoi alors le faire dans son dos ?

La pluie cessa aussitôt. Les nuages traversèrent le ciel à une vitesse hallucinante et un doux rayon de soleil vint caresser le visage de l'ex-inspecteur. Il devait tout de même prévenir la police de la côte. Direction le bureau de poste.

FERMÉ LE DIMANCHE. Kite étouffa un juron. Il aurait dû s'en douter. Il recula pour embrasser la façade entière du regard. Au premier étage, il aperçut une fenêtre ouverte. La préposée au bureau devait loger dans le bâtiment même. Kite décida de ne pas abandonner la partie. Il devait joindre le Yard. Absolument. Les flics de l'île ne semblaient pas capables de gérer une telle affaire. Le tour qu'avait pris son entrevue avec Bolt lui donnait toutes les raisons de penser que quelque chose ne tournait pas rond.

Il frappa sur la vitre de la porte. Sans succès. Il se recula de nouveau et se décida à donner de la voix.

— Madame de la poste?

Il trouva cette formule particulièrement idiote.

— Y'a quelqu'un?

Alors qu'il s'apprêtait de nouveau à appeler, la tête d'une vieille femme fit son apparition à la fenêtre. Elle ne dit pas un mot, se contentant de fixer Kite.

— Bonjour, madame. J'ai un coup de téléphone urgent à passer. Pouvez-vous faire une exception pour moi et ouvrir l'office?

Elle resta muette. Kite entendit quelqu'un crier derrière elle.

— Madame... supplia presque Paul, c'est un coup de fil de la plus haute importance.

La postière s'accouda à la rambarde de la fenêtre et ouvrit la bouche. Elle ne put prononcer un seul mot avant qu'un homme à la face rougeaude se poste auprès d'elle.

— La tempête a coupé les réseaux téléphoniques, brailla-t-il. On ne peut rien faire pour vous aujourd'hui. Ne nous dérangez plus.

Sur ce, il agrippa la vieille femme par le gilet et la tira à l'intérieur de la pièce. Kite s'apprêtait à répondre mais n'en eut pas le temps. La fenêtre claqua si fort qu'il eut le réflexe de se protéger au cas où la vitre céderait.

Devait-il croire une telle affirmation? L'île était-elle vraiment isolée de la côte à présent? Combien de temps allait-il falloir aux techniciens de British Telecom pour rétablir la liaison? Et si ce n'était qu'un mensonge destiné à empêcher l'ex-inspecteur de joindre la police de John O'Groats?

Kite se prit la tête dans les mains. Comment faire? Il ne pouvait même plus appeler un ferry pour s'échapper de l'île. «Idiot!» se sermonna-t-il. «Tu sais bien que la mer est trop démontée. Même si tu parvenais à appeler la compagnie, elle refuserait purement et simplement de t'envoyer un bateau!» Sans y croire, il farfouilla dans la poche intérieure de son blouson et sortit le téléphone cellulaire que Michelle lui avait laissé. Il l'alluma, mais aucun réseau n'était disponible sur l'île.

— Rangez-moi ce téléphone de malheur! avait gémi Mrs Pembry, le premier jour, à la vue du mobile. Ces appareils émettent des ondes très nocives pour le cerveau. C'est une des raisons de la folie des gens du continent. Et puis, il ne vous servira à rien sur l'île. Sir Grant a lutté de pied ferme pour interdire la pose d'une de ces satanées antennes-relais...

Paul Kite retourna vers la place du village de Blackbird. Quelques autochtones arpentaient les rues. Ils avaient tous le sourire, certains se donnaient même des grandes claques dans le dos. L'ex-inspecteur du Yard avisa un banc et s'assit quelques instants pour faire le point.

C'était curieux, mais depuis son arrivée sur l'île, il n'avait pas vu d'enfants. Est-ce que les parents envoyaient leur progéniture sur le continent pour leurs études? Pourtant, il y avait une école à Blackbird. Était-ce plutôt à cause de la tempête? On ne les laissait pas sortir quand un bulletin d'alerte de la météo était diffusé?

Au-dessus de lui, le ciel se remit à gronder. Puis les grondements se transformèrent en crachotements. Kite leva la tête. Cela ne venait pas du ciel mais des haut-parleurs disséminés dans toute la ville. Un message était diffusé. Dans la rue, les quelques badauds s'étaient arrêtés net pour prendre connaissance de l'annonce. Paul n'en comprit pas un traître mot. L'orateur devait s'exprimer en *norn*. Néanmoins, il crut discerner l'énoncé de son nom au détour d'une phrase. Le ton était si monocorde qu'il eut beaucoup de mal à se concentrer pour tenter d'écouter la suite de l'allocution. Il se contenta d'observer les habitants autour de lui. Le message se termina.

Alors, la ville changea du tout au tout. Les visages se fermèrent, les habitants se dirent au revoir sobrement, sans éclat de voix. Les têtes aux fenêtres rentrèrent, les volets claquèrent. Chacun retourna chez soi. La musique au pub s'arrêta net, l'établissement se vida et le verrou de la porte claqua.

En moins de deux minutes, Paul Kite se retrouva seul sur la place du village mort.

Abasourdi, il éprouva une sensation d'étouffement. Maintenant, il en était persuadé : il avait été la raison de cette annonce. Derrière les volets, par le trou des serrures, tous les habitants le guettaient. Ils allaient suivre son retour au *bed and breakfast*, puis ressortiraient probablement pour à nouveau rire et s'amuser entre eux.

Il allait devoir vivre en exclu pendant une semaine entière. Pire, en reclus. La solitude qu'il cherchait lui était maintenant imposée. Ça n'était plus la même chose.

Paul se leva et prit la direction de sa retraite sans même s'en apercevoir. Son pas était rapide, il courait presque pour fuir le regard des autochtones, leur accordant la victoire sur lui. Durant son retour dans les ruelles désertes et muettes, il aperçut des parchemins collés sur quelques portes du village, mais ne s'arrêta pas pour les lire. Trop bouleversé.

Il quitta le village. Pourquoi Michelle l'avait-elle abandonné ce matin, lui laissant seulement le goût de ses lèvres pour assistance ? Pourquoi ne l'avait-il pas suivie? C'en était fini pour lui... Il étouffait presque. Sa gorge le chatouillait. Son larynx gonflait, il en était sûr... Il allait suffoquer devant le poste de police, étalé dans la boue, veillé dans son agonie par les deux flics au regard complaisant.

Il accéléra sa marche, pressant le pas comme jamais. Il passa devant le poste de police, notant que la Range Rover n'était pas revenue.

La porte du cottage de Mrs Pembry était ouverte. Il tourna la poignée et monta les marches moquettées de l'escalier. Il entendit à peine la voix de sa logeuse lançant un « Mr et Mrs Kite? » Il ferma la porte à clef et se jeta sur son lit alors que les larmes commençaient à couler le long de ses joues.

Il était seul. Son visage n'était plus mouillé par de l'eau douce mais par de l'eau salée. Il laissa passer la crise, la tête enfouie dans un oreiller et daigna la relever quand la porte s'ouvrit. Mrs Pembry déposa une tasse de thé sur la petite table de nuit puis sortit, sans dire un mot. « Elle me témoigne encore un peu d'attention car elle n'a pas entendu le message. Ce soir, elle me mettra à la porte. »

Il sécha ses yeux et s'assit sur le lit. Le soleil baignait sa chambre de lumière.

« Pourquoi veux-tu être aperçu et considéré, alors que tu cherchais l'inverse sur cette île? » « Ils m'ont désigné comme le meurtrier de la petite fille dans le message », se dit-il. « La police va venir m'arrêter quand la tempête aura faibli. Ils ne mèneront pas d'enquête. Bolt va me livrer pieds et poings liés au Yard... »

Il se dirigea vers la fenêtre. La mer démontée brillait sous le jour. On aurait dit que les forces se déchaînaient autour de l'île en l'épargnant sciemment. L'herbe encore humide des jardins chatoyait.

Kite enleva son blouson, son pantalon et sa chemise. Il devait se reposer. D'ailleurs, que pouvait-il bien faire d'autre? Mais comment dormir avec l'image de cette petite fille imprimée sur la rétine?

Pamela... Il l'avait appelée Pamela... Maintenant, il se rappelait pourquoi. C'était le nom de la petite fille qu'il avait retrouvée morte en 1987, victime du fou aux sacs blancs. Son inconscient jouait contre lui... Ce n'était plus un seul cadavre qu'il avait devant les yeux à présent, mais bien deux. Deux petits corps dont un aux ailes de fée. Une envie de pleurer l'étreignit à nouveau. La dernière fois que l'affaire de 87 avait refait surface, c'était justement pendant sa dernière enquête. Celle qui l'avait détruit... Celle pour laquelle il était sur cette île... Pamela... La petite Pamela... Le corps nu et ensanglanté... Les marques de tisonnier sur son dos... Les plaies ouvertes...

Il s'endormit en comptant les volutes de fumée virevoltant au-dessus du mug posé sur sa table de nuit.

Où Alice apprend à ses ouailles
la recette de ses gâteaux magiques

La petite Alice entra dans la cuisine du château et soupira aussitôt.

— *Rajuste ton costume de duchesse... lança-t-elle. Tu vois bien qu'il tombe...*

— *Ce n'est pas la bonne taille! eut le malheur de rétorquer la jeune fille, qu'Alice corrigea d'un coup de martinet.*

— *Arrête de pleurnicher ou je te donne une seconde volée... C'est comme pour le bébé. Tu pourrais au moins le bercer pour me faire oublier qu'il ne s'agit que d'une poupée. Je n'ai pas entendu les pleurs... Guy! Tu seras gentil de brailler d'une façon plus convaincante.*

La petite Alice marqua une pause puis reprit, visiblement mécontente de l'attitude de ses employés.

— *Il n'y a pas assez de poivre dans cette cuisine! Jonathan! Je t'avais chargé d'y veiller. Je dois éternuer et là mon nez ne me chatouille même pas... Approche-toi...*

Le grand Jonathan se rapprocha de la petite Alice, qui lui demanda de baisser son pantalon.

— *Vous les garçons, il vous faut une fessée déculottée, constata-t-elle. Sinon, vous ne retenez jamais la leçon.*

Sur quoi, la petite Alice leva bien haut la main et l'abattit contre les fesses du garçon, qui cria fort. Pantelant, il regagna sa place derrière les fourneaux.

— Je veux refaire mon entrée dans la cuisine, annonça-t-elle. Tout le monde l'écoutait religieusement. Je veux que tout soit parfait.

Elle bondit un peu partout dans la pièce, sa robe à carreaux bleus et blancs dansant autour d'elle.

— Pour le chat, je t'ai dit de lui enfouir le bâton bien au fond de la gueule. Je veux le voir sourire, tu m'entends? Peu importe qu'il ne dure qu'une journée. Il y en a toujours de nouveaux prêts à me servir...

Elle continua, de son ton espiègle :

— Vous ne me facilitez pas la tâche, savez-vous? C'est déjà très difficile de s'évader. Ne me compliquez pas le travail par votre incompétence...

La petite Alice sortit enfin de la pièce, ce qui valut à tout le monde de soupirer. Seul le grand Jonathan s'activait en répandant du poivre partout dans la pièce. Chacun était prié de retenir ses éternuements personnels.

Elle revint quelques instants plus tard. Elle avait changé de vêtements et portait maintenant une robe couleur vert pomme et de petits souliers rouges et brillants.

Son visage s'illumina quand elle sentit son nez la chatouiller. Elle ne se retint pas et éternua le plus bruyamment possible. Alors, le cuisinier et la duchesse l'imitèrent.

— Il y a certainement trop de poivre dans cette soupe, parvint à articuler la petite Alice, une fois près de l'âtre.

C'était le signal pour Jonathan, qui enleva le chau-

*dron du feu avec difficulté. À ses pieds, le chat ne bou-
geait plus. La gueule grande ouverte, il vivait là ses derniers instants. Cela déplut à Alice, qui aurait préféré
voir l'animal sourire plus franchement, tranquillement
allongé sur le sol de la cuisine, ronronnant même.*

*— Pourriez-vous me dire pourquoi ce chat sourit
comme ça? demanda-t-elle à la duchesse, sans entrain
néanmoins.*

*— C'est un chat du comté de Chester, répondit la
jeune fille habillée avec grâce, avant de s'interrompre,
la bouche béante, cherchant ses mots.*

*Le sourire de la petite Alice se défit aussitôt. La
duchesse ne voulait pas jouer avec elle. Elle décida tou-
tefois de ne pas rompre le charme et se tourna vers
Jonathan. Le garçon se saisit des divers ustensiles de la
cuisine et les jeta un par un sur la duchesse qui fit
malencontreusement tomber le poupon en cherchant à
se protéger. Alice s'en trouva fort marrie. Elle applaudit
à tout rompre le cuisinier, l'enjoignant à lancer encore
plus fort les casseroles et les assiettes.*

*Les plats se brisaient sur le sol dans un vacarme
assourdissant si bien que les autres occupants de la
pièce se bouchèrent tous les oreilles. Subitement, la
petite Alice changea d'attitude.*

*— Oh, je vous en supplie, prenez garde à ce que vous
faites, implora-t-elle le cuisinier d'une manière grandiloquente, alors qu'une assiette atteignait la duchesse en
pleine figure, lui ouvrant net l'arcade sourcilière.*

*Un flot de sang déferla sur son nez, coula sur sa
bouche et tacha la belle robe blanche.*

*— Oh! Ça y est! s'exclama Alice, désireuse d'être
triste alors que son timbre de voix trahissait le sentiment inverse. Cette fois, c'est son pauvre petit nez...*

Elle attendit une réponse de la duchesse, mais celle-ci

venait de s'apercevoir qu'elle saignait et ne put donc articuler un seul mot.

Soudain, Alice décida que tout était terminé. Elle posa un baiser sur la joue de Jonathan, le cuisinier, rayonnant de joie après cette récompense si durement acquise, puis se retourna vers sa compagne, les yeux chargés de mépris.

Alors, avant de s'effondrer à terre, la jeune fille habillée en duchesse murmura :

— Qu'on lui coupe la tête !

4

Il se réveilla alors que la nuit était tombée sur l'île. Un sentiment de désorientation l'habitait : il ne savait plus où il se trouvait en l'instant. Il parvint à allumer la lampe de chevet après quelques tentatives maladroites.

Paul Kite avait l'impression d'avoir dormi la nuit ensière bien qu'il se fût assoupi une heure tout au plus. Son sommeil avait été exempt de cauchemar. Soudain, un doute l'envahit : avait-il vraiment vu le cadavre de la petite fille près de la pierre ? Et si les flics avaient raison, après tout ? Il pouvait très bien souffrir d'hallucinations. Mais les images dansaient devant ses yeux, trop réelles. Elles ne pouvaient être de simples mirages : Kite aurait voulu croire la version des policemen, mais c'était impossible. Bien sûr, il aurait pu se forcer à le faire, se convaincre d'abandonner et retourner au poste de police pour s'excuser, mais il ne s'en sentait pas le droit.

Reprenant peu à peu ses esprits, il réfléchissait sur la position à adopter en intégrant cette information : il n'avait aucun moyen à sa disposition pour communiquer avec la côte. « Ne te leurre pas », sifflait une méchante voix dans sa tête. « La tempête n'a pas été destructrice à ce point. Les insulaires jouent avec toi. Sir Grant leur a demandé d'observer un black-out total. »

Il se sentait mal dans son corps. Son estomac le brûlait alors qu'il n'avait mangé qu'un simple sandwich à midi. Il se leva enfin et se dirigea à nouveau vers la fenêtre. Le ciel était d'un noir de jais. De gros nuages cachaient la lune sur l'immense voûte surplombant la mer.

— C'est sir Grant qui lui a demandé de fuir, n'aurait pas manqué de divaguer la logeuse, il n'accepte pas qu'un autre astre que lui règne sur l'île...

C'était comme cela que l'ex-inspecteur ressentait le milliardaire bienfaiteur de Blackbird. Il faisait trop l'unanimité pour être tout à fait honnête. Il se l'imaginait dans sa haute demeure, mégalomane enfermé dans une pièce capitonnée et insonorisée, derrière une immense console où il pouvait agir sur chaque élément de l'île grâce à un réseau de caméras, de micros et de haut-parleurs. Paul Kite ne serait pas étonné de découvrir prochainement, caché entre deux briques d'une vieille façade de pierre, une petite caméra numérique reliée au réseau de sir Grant. Il ne broncherait pas en découvrant un micro au centre de la cible du pub où les habitants venaient jouer chaque soir aux fléchettes.

Il soupira et se dirigea vers sa valise. Ses vêtements trempés n'étaient plus sur la chaise, Mrs. Pembry les avait sûrement emmenés pour les laver. Il devait sortir. Il ne pouvait rester enfermé toute la soirée dans la chambre. Et puis demain, rien ne serait changé. Il ne devait pas accepter le diktat des habitants sans réagir. Cette idée de réseau de surveillance l'obnubilait. Sir Grant possédait-il vraiment un tel système? Il fit volte-face vers la glace. Le voyait-il en ce moment, les tétons pendants sur son ventre gonflé, les cheveux en bataille et le caleçon à moitié retourné sur les hanches? Il fixa le miroir pendant de longues secondes, puis se vêtit d'un jean et d'un simple chandail. Pourquoi n'avait-il encore jamais croisé le riche propriétaire depuis son arrivée sur Blackbird? Restait-il enfermé vingt-quatre heures sur vingt-quatre dans son module, comme une sentinelle prête à agir au moindre élément susceptible de mettre en péril l'environnement optimal de l'île?

Toujours cette foutue imagination qui le faisait divaguer! Il s'en serait bien passé. « Comment les littérateurs font-ils pour vivre toujours dans un monde factice, qu'ils peuplent avec leurs craintes et leurs fantasmes? » geignit-il en lui-même.

Des images se bousculaient dans son esprit : celle de sir Grant, visage sans véritables traits dépassant d'une rangée d'ordinateurs, s'apercevant sur un de ses écrans de contrôle que ce fichu touriste anglais a découvert le cadavre. La mini-caméra est fixée près de l'œil d'un goéland domestique, espion du milliardaire paranoïaque parmi la faune sauvage. Trop tard pour prévenir Bolt et son confrère. Il les appelle, leur demandant de feindre l'ignorance la plus totale, leur dictant même les phrases à lui servir grâce à cette oreillette implantée à chaque habitant de l'île quelques jours après leur majorité. Il suit son trajet sous l'orage, se délectant de sa respiration saccadée, savourant chaque sursaut de son diaphragme et la douleur qui se lit alors sur le visage de ce visiteur trop fouineur. Il écoute la conversation au poste de police et peste contre la persévérance de cet ex-flicaillon raté qui ne veut pas abandonner et menace de prévenir la côte. Alors il susurre dans son micro un message dans chaque oreillette au sujet du curieux, relayé immédiatement en langue locale sur les haut-parleurs du village. Il ordonne de feindre l'isolement, dicte à Mrs. Pembry l'attitude à observer : « Portez-lui un thé puis laissez-le dormir. Demain, nous aviserons. » Les flics se chargent ensuite de dissimuler le cadavre et d'aller rassurer les parents. Sir Grant se renverse alors dans son siège de cuir, heureux d'avoir su gérer la crise. Sur l'écran géant, il regarde Kite, son pantin, ronfler bruyamment. Son doigt est sur la console, prêt à enclencher la caméra du couloir du *bed and breakfast*, s'il venait à se réveiller trop tôt... Il devait aimer ces moments de panique, quand il pouvait actionner ses jouets comme bon lui semblait.

Le cheminement dans son esprit tenait du délire pur, mais Kite ne trouvait pas le moyen de stopper ce flux d'images. Il respira fort, puis sortit de la chambre, en jetant un dernier coup d'œil dans le miroir.

Il ne croisa pas Mrs Pembry en sortant de la maison. S'était-elle enfermée dans son appartement pour ne pas échanger un mot avec lui? Cet état de fait décida l'ex-inspecteur sur la conduite à tenir ce soir. Il n'irait pas se promener seul sur les chemins, vers la lande ou vers la plage. Il devait de nouveau se mesurer au monde, montrer qu'il n'était pas tout à fait mort, qu'il ne fallait pas compter sur lui pour tomber encore un peu plus dans la déprime. D'ailleurs, n'avait-il pas touché le fond depuis un bon moment? N'était-il pas sur la pente ascendante actuellement? Il avait même accepté l'idée de ce voyage et retrouvé quelques sensations charnelles...

— Je suis fier de vous, se serait enthousiasmé son psychiatre, un collègue de Michelle que Kite n'aimait pas vraiment, mon traitement commence à faire effet. Vous voyez? Quand je vous disais que rien n'était perdu...

Le médecin se donnait toujours le beau rôle, celui du sauveur. Le patient n'était que l'instrument servant à prouver sa compétence. Tout du moins, c'était l'impression qu'avait Kite lorsqu'il ressortait d'une séance.

Bien sûr, la découverte du corps de la petite fille lui

rappelait d'atroces souvenirs. Mais il s'étonnait de sa force morale depuis son arrivée sur l'île et surtout depuis le départ de Michelle. Excepté les quelques minutes suivant la découverte et ce moment où le sommeil ne venait pas, il n'avait pas flanché. Ce petit somme l'avait revigoré.

« Tu es reparti en chasse », lui murmurait la petite voix, cette fois d'un ton plus persifleur que méchant. « Tu es fait pour ça, pour traquer le criminel, ça flatte tes bas instincts... Tu peux bien essayer de te convaincre que tu as raté ta vie dans la police : c'est faux! Une fois dedans, personne ne peut s'échapper. C'est la dépendance au sang séché et à l'odeur d'éther flottant tout autour des casiers de la morgue. Un flic doit avoir sa dose d'adrénaline. Sinon il est en manque. Et il déprime... »

Kite respira une grande bouffée d'air pur sur le pas de la porte et prit la direction du village.

On eût dit que tous les habitants s'étaient donné rendez-vous au *Wild Boar*. Comme en début de soirée, les rues étaient désertes, les volets des maisons toujours fermés. Kite jeta un coup d'œil à sa montre : il n'était pas loin de dix heures et demie.

Quand il entra dans le pub, tout le monde fit silence. Certains semblaient si médusés qu'ils ne reposèrent même pas leur pinte de bière. Paul reconnut quelques têtes croisées dans le village cette après-midi. « Ils ne savent pas quelle attitude adopter », se dit-il en se dirigeant vers le comptoir. « Grant va bientôt le leur souffler ». Il s'assit sur le seul tabouret libre et parcourut la salle du regard. « Où peut bien être cachée la caméra? » À son grand désarroi, il commençait à s'habituer à ses délires, à s'en amuser même. « Dans la caisse de résonance de la guitare? Dans l'œil du poisson empaillé accroché au mur? »

— Une pinte, s'il vous plaît, fit-il simplement.

Alors, instantanément, le brouhaha reprit. Les trois musiciens se remirent à caresser leurs instruments. Les premières notes d'une ballade écossaise s'égrenèrent dans la salle. On entendit de nouveau les tintements des verres les uns contre les autres.

Kite sourit. Le décor du pub était plutôt réussi. On avait orné les murs de tableaux expressionnistes probablement peints par des artistes locaux. Il crut reconnaître quelques lieux de l'île comme le moulin ou encore la fameuse source. Sur une petite scène à droite de l'entrée, trois musiciens s'évertuaient à jouer malgré le bruit. La salle était composée de petites tables, relativement rapprochées. Elle était comble ce soir, et certains étaient même dans l'obligation de partager une chaise ou bien encore de passer la soirée au comptoir. La plupart des autochtones parlaient et riaient à gorge déployée, de la mousse aux coins des lèvres, en jetant des cartes sur la table ou bien des fléchettes sur la cible. Kite trouva immédiatement l'atmosphère très bon enfant, excepté les quelques secondes qui avaient suivi son arrivée.

Autour de lui, les conversations allaient bon train. On ne se souciait plus de sa présence et il put ainsi écouter quelques échanges.

— Il paraît que la tempête va durer la semaine, insistait un homme pataud dont le front était barré d'une large mèche rousse et auquel il manquait un doigt. Je ne me risquerai pas à sortir le bateau. Je vais en profiter pour retaper un peu la grange...

Kite comprenait parfaitement leur anglais. Il s'en étonna : après tout, ils auraient très bien pu continuer de parler en *norn* et le mettre ainsi sur la touche. Cela accentua ses doutes : ce soir, le village s'était rendu au pub sur commande, pour que Kite puisse pêcher quelques renseignements non fortuits s'il venait à passer. Sir Grant était bien de la graine des Machiavel.

L'ex-inspecteur abandonna l'homme à la mèche rousse pour se retourner vers la salle. Il tenta d'écouter la conversation à la table juste en face.

— Ma petite Virginia, reniflait un homme vêtu d'une curieuse salopette rouge et bleue, je ne comprends pas...

Paul nota que cet homme avait également l'auriculaire sectionné. Avant de reprendre le fil de la conversation, il plissa les yeux pour tenter de dissimuler la direction de son regard. Il fixait tour à tour les mains des hommes du pub. Bon nombre d'entre eux avaient le petit doigt sectionné.

— Bolt est venu me trouver tout à l'heure pour me dire que Virginia avait fait une mauvaise chute du haut du rocher. (De grosses larmes perlèrent sur ses joues.) Elle jouait avec les autres gosses et s'est ouvert la tête en sautant.

— Tu veux dire qu'elle est... fit un homme.

Kite ne devait pas réagir sous peine de tout faire arrêter. Cherchant à maîtriser les muscles de son visage qui tressaillaient sous la surprise, il vida sa pinte et se concentra de nouveau.

— Je ne sais pas encore, répondit l'homme à la voix serrée. Bolt m'a dit que Livingstone veillait sur elle.

Il se rapprocha plus près de son ami. Kite dut faire très attention pour ne pas tomber du tabouret en se penchant lui aussi. Un des piliers de comptoir avait remarqué son manège et lui lança un regard acerbe.

— Je suis sûr que c'est un coup de cet enfant de putain de Wilfred! Il abuse de nos mômes, j'en suis persuadé.

— Tu sais bien que non, tempéra l'autre. Sir Grant nous l'a certifié, tu peux le croire...

L'homme sortit un mouchoir sale de sa poche et sécha ses larmes.

— Je crois sir Grant, maugréa-t-il, mais je peux t'assurer que si ce salaud de Wilfred se pointait ce soir, je lui ferais cracher ses quatre vérités à grands coups de talons dans la gueule !

Ses sanglots reprirent alors qu'il chuchotait : « Virginia, Virginia ». Son compagnon lui tapota l'épaule. Par compassion et parce que le spectacle devenait difficile, Kite se retourna vers le bar.

Il devait repartir à zéro. Cet homme était sûrement le père de la petite fille morte. Le cadavre existait donc bien. Alors, pourquoi les flics n'avaient-ils pas voulu le croire ? Car cela n'était pas l'affaire d'un étranger ? Ils s'étaient néanmoins gardés de dire la vérité au père. Sans doute pour le ménager. Ou bien l'homme éploré menait-il Kite en bateau, jouant à la perfection un rôle écrit par sir Grant pour lui faire croire que Virginia était blessée ?

Il n'arrivait pas à se faire une opinion tranchée. Son esprit, embrumé par l'alcool et l'affliction, ne raisonnait plus correctement.

Le message diffusé dans la ville tout à l'heure le désignait-il comme l'assassin potentiel, ainsi qu'il l'avait pensé ? Paul Kite dut réviser son jugement. Si tel était le cas, la foule l'aurait lynché à peine l'huis du pub franchi.

Le villageois faisait référence à un certain Wilfred... Il avait déjà lu son nom quelque part... Il voulut se tourner pour commander une autre pinte, quand il sursauta ! Wilfred ! Le nom sur le parchemin accroché au gibet à l'entré du village ! Wilfred, l'homme au masque de corbeau. Kite avait pris cela pour une facétie des gamins de l'île, mais le mystérieux personnage avait l'air d'être fait de chair et de sang...

Une dizaine de minutes passèrent durant lesquelles

Paul compta la proportion d'habitants au petit doigt coupé, en sirotant sa deuxième pinte de *rare ale*. Les médecins lui avaient toujours défendu de boire, mais lui s'était toujours défendu d'écouter les médecins. Sur vingt-cinq, quinze avaient subi l'ablation de l'auriculaire, tous des hommes de trente à quarante ans. Était-ce par accident, par tradition ou bien à cause d'une maladie congénitale propre à Blackbird Island?

Kite n'eut pas le temps de répondre. Il entendit une cavalcade de pas au-dessus de lui. Une femme arriva en trombe dans la salle. Son visage était défait.

— Il arrive! souffla-t-elle, les yeux remplis de détresse.

La musique s'arrêta. Tous les regards se tournèrent vers elle. Le dernier bruit que l'on entendit fut celui d'une fléchette se plantant dans le lambris du mur à droite de la cible. Après, ce fut le silence.

— J'ai vu son cheval sur la route, haleta la femme, il ne va pas tarder... Vous n'avez pas le temps de rentrer chez vous. Il sait que nous sommes tous réunis ici...

Personne n'osait dire un mot. Kite était fasciné par le spectacle offert à lui en cet instant. Il entendit quelques reniflements poindre ici et là. Des pieds de chaises raclèrent le parquet, mais personne n'osa se lever.

— Par pitié, ne tentez rien, supplia-t-elle.

Son cœur battait si fort qu'on pouvait voir le tissu de sa robe se soulever près de sa poitrine.

— Laissez-le venir, répondez-lui sans faire d'éclat. Alors tout se passera bien.

Paul Kite n'osait plus toucher à sa pinte. Dans son dos, le propriétaire du pub rangeait les bouteilles et les verres derrière le comptoir. Il avait juste terminé quand on entendit le bruit des sabots fracassant les pavés de la place. *Il* arrivait.

Qui pouvait bien être ce personnage glaçant le sang

pourtant déjà bien froid des habitants de l'île? Il allait rapidement obtenir une réponse.

D'un simple geste de la main, le barman relança la musique. Le violoniste n'était pas assuré comme à l'habitude, Kite voyait bien que les doigts du musicien tremblaient le long des cordes. Les jeux de cartes reprirent, mais il était évident que les joueurs se contentaient de jeter des cartes pour simuler la partie. Les conversations avaient du mal à redémarrer.

Dehors, les bruits de sabots s'étaient ralentis puis arrêtés. En tendant l'oreille, on entendait le cheval remuer les babines en sifflant. Le canasson semblait fatigué. Il avait dû parcourir un long chemin. Qui pouvait bien rendre visite si tard aux habitants du village en leur inspirant une telle peur? Était-ce sir Grant? Venait-il voir Kite en personne pour le sommer de quitter l'île quel qu'en soit le prix?

La porte s'ouvrit et alla heurter violemment le mur. Quelques jeunes femmes sursautèrent alors qu'une haute silhouette avançait dans la lumière de la pièce. Kite ne distingua pas tout de suite son visage, mais l'étrange visiteur était vêtu d'une cape noire qui le recouvrait entièrement. Ce n'est que lorsqu'il arriva au milieu de la salle, tout près de Kite, qu'il put détailler ses traits.

Mais il n'en vit rien. Un masque lui couvrait la face, du front au menton. Un masque en forme de tête de corbeau. « Wilfred ! » se dit Kite. « L'homme qui laisse ces flèches et ces parchemins... L'homme que le père de la petite fille morte accusait tout à l'heure et menaçait de tuer... » Pourtant, ce dernier ne bougea pas d'un cil. Il restait pétrifié devant la stature du personnage masqué.

L'apparition n'effrayait pas Kite le moins du monde. Il prenait plutôt un malin plaisir à voir le peuple de Blackbird trembler devant quelqu'un. Cela les rendait presque humains. Pour lui, il ne pouvait s'agir que d'un personnage de théâtre, un autre habitant de l'île, un peu simplet, qui vivait en reclus et que les insulaires distrayaient en feignant de le craindre. Ou bien était-ce carrément une mise en scène destinée à l'intimider encore un peu plus ? Et si la jeune fille avec les ailes d'ange n'était pas vraiment morte ? Sir Grant avait pu monter ce spectacle afin que Kite s'effrayât et fuît pour ne jamais remettre les pieds sur l'île...

L'étrange personnage balaya la pièce du regard. On ne distinguait rien de ses yeux derrière le masque. Soudain, il se mit à parler.

— Vous n'êtes qu'une bande de déplorables adultes ! Regardez-moi ces mines chargées de responsabilités ! C'est ainsi que vous envisagez de finir vos vies ? En responsabilisant vos enfants pour leur pourrir l'existence ?

La voix sonnait faux. L'homme devait la forcer pour lui donner ce timbre. Depuis son accident, ce genre de détail n'échappait plus à Kite. La diatribe de Wilfred continua :

— Je me tue à vous répéter qu'ils n'ont pas besoin de vous, qu'ils sont assez grands pour se prendre en main tout seuls. Ils crachent sur les valeurs que vous rabâchez à longueur de dîners, que vous leur récitez le soir en leur lisant un gentil conte pour enfants. Je vous avais pourtant prévenus !

L'homme au masque de corbeau avait presque hurlé cette dernière phrase. Kite ne comprenait pas un traître mot de ce discours.

— Ils crachent sur vos histoires de prince charmant et de princesse à réveiller d'un baiser ! vociférait-il d'une voix de stentor. Vous devez bien comprendre, martela-t-il, que vos enfants ne partagent pas vos valeurs. Ils vont bien au-delà... Ils ne craignent rien et préfèrent la sorcière à ces sales mioches de Hansel et Gretel. Pourquoi se pourlèchent-ils les babines quand vous lisez ce conte ? Pour vous, ils pensent à cette maison faite de pain d'épice et de gâteaux... Ça vous rassure, n'est-ce pas ? Ça flatte votre bonne éducation... Mais votre progéniture savoure à l'avance le dîner de la sorcière ! Ces faux jetons de frères Grimm n'avaient rien compris ! Pour gagner l'admiration des enfants, ils auraient dû faire claquer la porte du four sur les deux moutards... Mais ça ne vous aurait pas plu, à vous, les grandes personnes, vieillards cacochymes de l'imaginaire !

Wilfred appuyait sa logorrhée à grand renfort de gestes. Cela rappela à Kite les orateurs se posant au *Speaker's Corner* à Hyde Park pour déclamer des vers de leur composition ou bien encore annoncer une apocalypse imminente. Pour ce discours, l'homme utilisait un ton qui donnait à l'ensemble une consistance. Une vérité, même. Kite frémit.

— On m'a encore rapporté certains de vos abus. Je vous mets à chaque fois en garde contre votre autorité, mais vous ne m'accordez jamais plus d'importance que si j'étais fou... Je suis venu ce soir pour sanctionner deux d'entre vous. Je vais les nommer publiquement et gare à celui qui osera me résister !

Personne ne broncha. Certains fixaient l'homme masqué, d'autres baissaient les yeux. Kite, lui, était suffoqué. Dehors, le vent s'était remis à souffler et faisait claquer les volets de la maison, seul fracas entre les envolées de Wilfred.

— Collin Wark, père du petit Nicolas.

Il s'avança vers l'un des joueurs de cartes de la table du fond.

— On m'a dit que tu avais séquestré ton enfant dans sa chambre pendant une après-midi pour le priver de rejoindre ses petits camarades. Motif : il avait chapardé une tablette de chocolat au magasin d'alimentation. Rappelle-moi qui paye ces tablettes ?

— Sir Grant, bafouilla Mr Wark, alors que Wilfred se tenait maintenant près de lui.

— Exact ! approuva en souriant le mystérieux personnage. Vous savez bien que sir Grant vous nourrit gratuitement... En partant de ce principe, je ne vois pas en quoi ce vol te concernait. C'était une affaire entre Nicolas et sir Grant ! Et malgré tout le mal que je peux penser de votre despote, je ne doute pas qu'il aurait prononcé une punition bien moins grave que celle que tu as infligée à ton fils !

Il sortit un hachoir de sous sa cape et emprisonna le poignet de Wark sur la table.

— Tu es docile sous ma poigne ! constata Wilfred. Bien plus que ton petit garçon... Tu aimerais qu'il te craigne comme cela, n'est-ce pas ? Et tu ne trouves pas cela dégradant ?

Les mâchoires du malheureux tremblaient trop pour qu'il puisse répondre.

— Libre à toi, soupira l'homme masqué en haussant les épaules.

Le hachoir siffla dans l'air et vint s'abattre sur l'auriculaire du fautif. Il poussa un cri de douleur si intense que Kite eut envie de se boucher les oreilles. Mais son corps était littéralement tétanisé par cette étrange cérémonie.

Wilfred jeta négligemment un coup d'œil à la plaie.

— Aubergiste ! Occupe-toi de cette soi-disant grande personne qui pleurniche maintenant comme un enfant.

Il reprit sa traversée du pub. Les musiciens avaient posé leurs instruments. Ils se doutaient bien que la soirée ne pourrait reprendre après cela. On commençait à entendre quelques sanglots.

— David Candel, père de la petite Charlotte.

Kite sut de qui il s'agissait avant même que Wilfred le rejoignît. L'homme tremblait de tout son corps et jetait de grands regards apeurés dans la direction de Collin Wark qui geignait maintenant en silence.

— J'ai ouï dire que tu avais donné deux claques à ta fille, car elle n'avait pas obtenu de bons résultats à sa dernière composition d'anglais.

Wilfred gardait toujours ce même ton monocorde, arrogant.

— Tu veux peut-être que je ressorte tes bulletins scolaires? (Il s'adressa à tout le monde :) Vous savez que je possède cela, n'est-ce pas? Entre autres choses... (Il reprit à l'intention de David Candel). Ce n'est pas parce que ton père te corrigeait que tu dois reproduire ce mauvais schéma! À moins que tu ne désires que ta fille élève également mal ses enfants?

L'homme suait à grosses gouttes.

— Donne-moi ta main!

Tous les regards abandonnèrent la scène. Kite ne put détacher le sien et fut le seul à voir le hachoir tomber sur la main du malheureux.

— Écoutez-le! se réjouissait l'homme fou. Il appelle sa maman comme un nouveau-né!

Il éclata alors d'un rire tonitruant qui ne cessa qu'une fois la porte du pub franchie. Personne n'osa bouger avant d'entendre les sabots du cheval fracasser de nouveau les pavés.

Apeurés, tous les villageois se ruèrent au-dehors pour se disperser ensuite sur la place du village. Personne n'échangea un mot. Les couples se tenaient fermement la main, la femme guidant le mari pour rentrer au plus tôt. Une fois de plus, Kite nota qu'il n'y avait aucun enfant avec eux.

Lui resta pétrifié sur son siège, serrant le verre à bière entre ses mains à le faire exploser. Il fallut que le propriétaire lui demandât de partir d'un geste pour qu'il se retrouvât de nouveau seul sur la place du village, fouettée par le vent.

Il se retourna vers le pub. Les lumières s'éteignirent une à une.

Il n'avait plus qu'à regagner la demeure de Mrs. Pembry. Pourrait-il retrouver le sommeil? Il n'avait absolument pas envie de dormir. Le masque de cet étrange Wilfred dansait devant ses yeux. Le bec du corbeau semblait figé dans un sourire moqueur.

Il sut que quelque chose n'allait pas dès qu'il aperçut le cottage. La veilleuse du porche était restée allumée. Il s'approcha, son cœur battant la chamade...

Devant la porte fermée, il trouva sa grosse valise et un sac de cellophane contenant son pantalon et sa chemise maintenant secs. Coincé entre le sol et la valise, un billet de vingt livres, la caution versée par le couple Kite à son arrivée. Paul n'avait pas besoin d'un dessin. Mrs. Pembry le chassait de son *bed and breakfast*, le laissant à près de minuit sans toit et dans un vent glacial. Pour s'en assurer, plus que par véritable espoir, il tenta de tourner la poignée. En vain. La porte était verrouillée.

Paul Kite n'avait plus de certitudes, plus que des images et des mots emprisonnés dans son esprit. Sa mélancolie se vidait peu à peu pour laisser place à la fantaisie de l'île. Cruelle fantaisie! Les picotements dans sa gorge s'étaient calmés. Il respira intensément sur le seuil de la porte. Cet air, c'était à présent tout ce qui lui restait.

5

Marchant aveuglément vers nulle part, sa valise à la main, Paul Kite n'entendit pas tout de suite le vrombissement d'un moteur, perdu dans le lointain. C'est quand il se rapprocha qu'il en prit conscience. Des phares puissants balayaient la route légèrement surplombée au loin. Elle se dirigeait droit sur le village.

C'était la première voiture que Kite voyait sur l'île. Appartenait-elle à sir Grant? Revenait-il dans sa demeure après une petite promenade? Ou bien était-ce l'homme au masque de corbeau qui avait troqué son cheval contre une automobile pour venir faire la leçon au bienfaiteur après avoir vertement tancé ses administrés?

Paradoxalement, Kite éprouvait presque du soulagement à ne plus loger chez Mrs Pembry. La vieille femme s'était toujours montrée distante avec Michelle et lui. Le seul problème était qu'aucune autre solution ne s'offrait à lui. Il n'était pas question qu'il aille frapper à la porte d'une maison du village. Personne ne lui ouvrirait. Les insulaires devaient être enfouis au plus profond de leur lit, essayant d'oublier dans leur sommeil la venue au pub de l'inconcevable Wilfred.

Kite était à l'entrée du village. Il venait juste de passer le grand bâtiment blanc de l'école. La voiture se rapprochait inexorablement, les vrombissements du moteur résonnant dans les ruelles exiguës. Le conducteur se fichait bien de réveiller les habitants. Il s'agissait très probablement de sir Grant. Devait-il se fondre derrière un mur pour ne pas être aperçu?

Il décida que non. Alors, la voiture surgit dans le champ de vision de l'ex-inspecteur. C'était une grosse cylindrée. Le faisceau lumineux aveugla Kite un centième de seconde. Par réflexe, il se cacha les yeux et se plaqua contre le panneau indiquant la vitesse limite à respecter. Bien lui en prit. Le conducteur le frôla et s'aperçut de sa présence. Il donna un grand coup de frein en braquant. La voiture fit demi-tour et projeta une tonne de gravier contre le portail du poste de police. La scène s'était déroulée bien trop vite pour que Paul ait eu peur. Il s'approcha de la voiture, qui avait réduit l'éclat de ses phares.

C'était une Jaguar dernier modèle. Kite s'avança vers la fenêtre avant droite, légèrement entrouverte. Au premier coup d'œil, il n'aperçut que deux mains gantées accrochant le volant. Puis il releva la tête et vit le bout incandescent d'un cigare. Le plafonnier s'alluma.

— Bonjour, Mr Kite!

L'ex-inspecteur aurait aimé rendre la pareille, mais il ne savait rien du conducteur de cette sublime voiture. Il s'agissait d'un homme maigre, au corps élancé, qui ne devait pas avoir plus de quarante ans. Les traits de son visage étaient fins, on eût dit la figure d'un adolescent enfin débarrassé de ses boutons d'acné et s'apprêtant à rejoindre le monde des adultes. Son nez épaté tranchait avec ses lèvres fines et ses petits yeux en forme d'amande. Une tignasse brune laissait un front brillant s'étendre sur près d'un tiers de la tête.

Kite se trouva idiot devant cet homme et baragouina un simple bonsoir. Cela fit sourire le conducteur.

— Mrs Pembry vous a fichu dehors, n'est-ce pas? demanda-t-il, en enlevant le cigare de sa bouche.

Paul approuva d'un simple battement de cils.

— La fichue garce! Qu'elle serve de becquée pour le grand corbeau de l'île! Elle n'a jamais supporté qu'un touriste reste plus de deux jours chez elle!

Il marqua une pause, quitta son gant droit et tendit la main vers Kite. Ce dernier ne broncha même pas, mais eut la curieuse impression que l'homme avait également le petit doigt tranché. Sa poignée de main n'était pas des plus assurées.

— Je suis ravi de vous rencontrer. Mon nom est Grant. Sir Dwight Grant. Je n'aurai pas la fausse modestie de me présenter. On vous a sûrement parlé de moi au village...

— Assez peu, ricana Paul, soulagé de connaître enfin l'identité de son interlocuteur. Les habitants ne m'ont que rarement adressé la parole...

Il n'y avait aucun reproche dans la voix de Kite. À peine un regret. Il vérifia sa supposition quand sir Grant remit son gant. Son impression se confirmait : l'homme n'avait plus d'auriculaire. Même le personnage le plus important de l'île semblait subir la loi de Wilfred. À moins qu'il ne s'agisse d'un accident, auquel cas la coïncidence serait étonnante!

— Permettez-moi de m'en excuser, Mr Kite. Mes compagnons d'île sont bien farouches...

Il observa une seconde pause pendant laquelle il fit tomber la cendre de son cigare au-dehors.

— C'est avec joie que je vous invite à passer la nuit à la maison, s'enthousiasma-t-il subitement, cela nous fera un peu de compagnie...

Paul ne pouvait décemment pas refuser cette proposition. Cela allait être l'occasion d'en apprendre un peu plus sur le milliardaire. Et aussi de dormir au chaud sous un toit!

— C'est très aimable à vous... Je dois vous dire que sans cela...

— Ne faites plus allusion à la misanthropie de mes concitoyens, le coupa sèchement sir Grant. Elle me pèse déjà trop. Prenez place, s'il vous plaît. Je ne peux m'attarder plus longtemps. Ma fille m'attend au manoir.

Kite contourna la voiture et s'assit à l'avant, sa valise posée sur les genoux. Il espérait n'avoir pas vexé son hôte.

« C'est donc sir Grant que tu as à ta droite, ton bourreau, le fou mégalomane, le voyeur, le frère de sang de ce malade de Wilfred... »

« Arrête ! » se raisonna-t-il. « Tu ne dois pas le considérer en ennemi. Ton imagination boursouflée te joue des tours. Garde tes forces pour le cuisiner en douceur, pour lui tirer les vers du nez sans qu'il s'en aperçoive... Il doit savoir que tu as découvert le cadavre de la petite Virginia. Au fond de toi, tu es bien content qu'il t'invite, tu vas pouvoir savoir ce qu'il a dans le ventre. Cette découverte n'est pas pour te déplaire, toi qui t'ennuyais tant... »

Allons bon ! Voilà qu'il reprenait son vocabulaire de flic. Sir Grant tirait sur son cigare avec conviction et l'habitacle se remplit d'une bonne odeur de havane. Cela faisait bien longtemps que Kite n'avait pas fumé. Bien trop longtemps.

En quelques dizaines de secondes, ils avaient atteint leur but. Arrivé devant la grille, sir Grant stoppa la voiture, puis sortit une télécommande de la boîte à gants. Le portail s'ouvrit sans un grincement. Le conducteur démarra en trombe et la Jaguar se faufila au centimètre près entre les battants à peine ouverts.

La grande demeure de sir Dwight Grant se situait sur une petite colline, légèrement surélevée par rapport à l'entrée de la propriété. Il y avait de la lumière derrière presque toutes les fenêtres du bâtiment malgré l'heure tardive. On y accédait par un chemin en lacet. Le domaine sembla assez vaste à Kite. Il tentait d'en percevoir les limites malgré l'obscurité.

— Oui, j'ai un grand jardin, Mr Kite, lui confirma Grant, le regard fixé sur la route, mais ce n'est rien à côté des pâturages derrière le manoir. (Il désigna un point sur sa droite.) En bas, ce sont les falaises. Je vous conseille d'aller y faire un tour demain si le soleil brille. J'ai fait tailler un escalier dans la pierre qui donne accès à une petite crique.

Subitement, Paul se demanda comment le milliardaire connaissait son nom. Il n'en souffla mot. La voiture s'apprêtait à prendre le premier virage.

— Si vous continuez tout droit, en montant un peu, vous trouverez un pavillon avec une petite chambre et une serre où je continue la culture de quelques plantes médicinales entreprise par ma femme.

— C'est là que vous me logerez?

— Non, je vous ferai préparer une chambre au manoir. Personne ne couche plus dans la petite maison. Elle me sert de cabinet de travail, à présent. J'aime m'y retirer pour écrire.

— Vous êtes romancier? demanda Kite.

Sir Grant ricana.

— Je ne gagne pas ma vie avec cela. C'est un passe-temps. Ma fortune m'a fait rencontrer suffisamment de courtisans pour que mes textes, même les plus minables, puissent être édités...

— Vous êtes sévère...

— Je suis réaliste, Mr Kite. Mais l'un ne va pas sans l'autre, pourriez-vous me rétorquer...

Paul appréciait la compagnie du milliardaire. Il n'avait

pas l'air de se comporter comme un gentilhomme lambda, se réfugiant derrière son pactole comme derrière un bouclier. Il gardait un côté humain, accessible. Son esprit devait être fragmenté et non fait d'un seul bloc. On devinait l'homme qui avait souffert. Depuis quelque temps, Paul les reconnaissait entre mille.

Ils n'échangèrent pas un mot de plus jusqu'au garage où Grant stoppa sa Jaguar. Kite suivit son hôte à l'intérieur du manoir. Il ne croyait pas trouver un luxe aussi démesuré dans la demeure de sir Grant. Il aurait plus penché vers une décoration moderne, non pas ces enluminures et ces parquets parfaitement cirés.

— Cela vous étonne, n'est-ce pas? fit le milliardaire, espiègle. Ma femme tenait à cette décoration très classique. Elle avait l'impression d'habiter dans un château à Vienne! Je n'ai rien changé depuis, car ma fille y est très attachée! Elle, c'est pour l'ambiance très Sissi! Mais suivez-moi, je vais vous montrer votre chambre... Judith?

Une femme apparut.

— Judith, je vous présente Paul Kite. Veuillez lui préparer la chambre Otis. (Il se retourna vers son hôte et lui adressa un clin d'œil.) C'est une idée de ma fille. Elle adore *Le Fantôme de Canterville*. Mais au fait, avez-vous dîné?

Kite secoua négativement la tête et voulut répondre qu'il n'avait pas grand faim. Sir Grant ne lui en laissa pas le temps.

— Moi non plus! Judith, vous direz à Margaret de préparer son délicieux *finnan haddie*[1]. Et ne levez pas les yeux au ciel, Judith! Je sais que le docteur Livingstone me l'a interdit, mais je m'en contrefiche, m'entendez-vous?

---

1. Célèbre plat écossais traditionnel composé de haddock au lait et à la moutarde, accompagné d'oignons.

L'homme plaisait de plus en plus à l'ex-inspecteur. Il savait donner des ordres sans équivoque sur un ton amusant, presque doux. C'était l'apanage des grands esprits.

— Veillez au confort de Mr Kite pendant toute la durée de son séjour, c'est entendu?

Judith hocha la tête et se retira immédiatement. Sir Grant se tourna vers lui :

— Je fais mon intéressant, mais je n'en mène pas large devant elle! Judith m'aide beaucoup depuis la mort de ma femme. C'est également la gouvernante de ma fille, même si elle fréquente aussi l'école où elle peut retrouver tous ses camarades. C'est une femme adorable, très dévouée. Je ne pourrais plus m'en passer...

— Vous employez beaucoup de personnel?

Sir Grant répondit alors qu'ils montaient l'escalier en fer à cheval menant à l'étage.

— Une cuisinière, une gouvernante et un homme d'entretien à plein temps. C'est amplement suffisant, car j'aime jardiner et bricoler.

Ils arpentèrent un couloir étroit sur la gauche de l'escalier. Tapissé de rouge, de gros chandeliers électriques ponctuaient le corridor à intervalles réguliers. Paul Kite trouva cela kitsch, mais se garda bien de le dire à son hôte.

— Voici votre chambre, fit-il en tournant la poignée. Je loge juste à côté. Ma fille, quant à elle, est à l'autre bout du couloir. Je lui ai aménagé une grande pièce où elle peut donner libre cours à son imagination à toute heure sans déranger personne...

— Vous me parlez beaucoup de votre fille, sir Grant. Pourrais-je la rencontrer? Je suppose qu'elle doit dormir, à cette heure...

— Je ne sais pas, fit sincèrement le milliardaire. Si elle veut venir vous dire bonsoir, elle viendra. Je préfère ne pas la déranger quand elle s'enferme dans sa chambre. C'est une élève très studieuse... Je respecte autant ses heures de travail que ses moments d'amusement !

Kite entra. C'était une belle pièce à la décoration moins chargée. Les tentures étaient bleu foncé, la moquette d'un bleu plus clair. Un lit de bonne taille était placé contre le mur, à quelques pas seulement de la cheminée.

— Je vous laisse vous préparer, fit sir Grant en tirant les rideaux. Vous avez la même vue que moi... Le rocher du corbeau et la mer à l'horizon ! Je vous attends dans la salle à manger. Prenez votre temps, rien ne presse !

L'ex-inspecteur remercia encore une fois son hôte, puis attendit son départ pour se rendre devant la baie vitrée.

Le milliardaire semblait vraiment sympathique. Comment avait-il pu le considérer comme un machiavel malfaisant ? « Tu ne le connaissais pas », lui souffla sa petite voix. « Et puis ne le juge pas trop vite. Peut-être joue-t-il le gars aimable devant toi alors qu'il fomente déjà un autre coup. »

La vue était magnifique. Les contours du rocher se dégageaient sur la mer agitée.

Kite resta debout, tentant de faire le vide dans son esprit. Quelques gargouillis d'estomac le rappelèrent à la réalité. Il descendit.

— Prenez place, Mr Kite ! fit sir Grant, déjà attablé.

L'ex-inspecteur détailla la salle à manger. C'était une longue pièce plutôt basse lambrissée de chêne et ponctuée d'une multitude de fenêtres garnies de vitraux. Il s'assit en face de son hôte. Une vieille femme, portant un tablier en dentelle blanche, s'avança et souleva la cloche d'argent posée devant lui. Un délicieux fumet emplit ses narines.

— Mon plat préféré, Mr Kite.

Sir Grant se léchait littéralement les babines.

— Margaret le prépare si bien! Elle suit la recette de ma femme.

Le plat semblait très appétissant. Même s'il avait l'estomac noué, Kite se força à en avaler quelques bouchées pour ne pas vexer le milliardaire.

— Votre île est magnifique, sir Grant, enchaîna-t-il. Il y a vraiment des lieux de toute beauté. Comme par exemple le moulin, ou même la source...

— Ne me parlez pas de cette source, répondit Dwight Grant en secouant la main, c'était une idée de mon père pour attirer le touriste. Notre fortune provient principalement de nos investissements boursiers. En 1987, lors du krach, nous avons frôlé la faillite. Alors, pour ne pas perdre la face devant les habitants de l'île, pour garder son autorité, mon père a tenté de développer le tourisme. Ce fut un fiasco. Nous avons même été attaqués par une association pour pratique illégale de la médecine. Mon père avait été jusqu'à écrire dans les prospectus que l'eau de notre source guérissait les cancers...

Il fit une pause et but une gorgée de vin blanc.

— Il n'en est rien, bien entendu. Je suis désolé...

— Pourquoi donc? demanda Kite, piqué au vif.

Il avait noté l'année du krach boursier. 1987. L'année du commencement de sa débâcle personnelle.

— Vous êtes sur l'île pour la source, n'est-ce pas? Le jeune garçon boucher me l'a dit ce matin. Ne m'en veuillez pas de m'être renseigné sur vous...

— C'est pour cette raison que vous connaissiez mon nom...

— Oui. À l'époque, je me rappelle avoir suivi de près

cette affaire du *Serial Singer*, comme l'avait surnommé la presse.

— S'il vous plaît... supplia l'ex-inspecteur.

— Je suis désolé.

Le premier silence pénible entre les deux hommes s'installa à ce moment. Kite poussa l'assiette devant lui pour signifier qu'il n'avait plus faim. Ainsi c'était donc cela! Sir Grant s'était bien renseigné sur lui.

Kite posa son regard sur des statuettes disposées en cercle au milieu de la table. Il en compta dix, couleur d'ébène.

— Vous regardez nos dix petits nègres, Mr Kite, lâcha sir Grant, pour tenter de détendre l'atmosphère. Mon père les avait commandés dans les années 30 à un célèbre sculpteur de cire. De la belle ouvrage, n'est-ce pas?

Kite grommela une vague approbation. Une question lui brûlait les lèvres. Ne devait-il pas profiter de la faiblesse relative de son interlocuteur pour lui demander des explications sur le cadavre de la petite fille?

Margaret revint pour desservir la table. Kite remarqua que son bras gauche était bandé. Il se décida.

— Ce matin, j'ai découvert le cadavre d'une petite fille près de la *Gull's Stone*, lâcha-t-il brutalement. On lui avait cousu des ailes dans le dos. Les policiers ne m'ont pas cru, mais je les ai vus ensuite prendre le chemin de la lande.

Sir Grant acquiesça tout en continuant de manger. Un autre silence pesant s'installa.

— C'est exact, Mr Kite. La police de l'île a bien retrouvé le cadavre d'une fillette près de la pierre. Le sergent Bolt m'a prévenu et je me suis rendu sur les lieux immédiatement. Virginia était une amie de ma fille. Nous n'avons encore rien dit aux parents, juste qu'elle avait fait une mauvaise chute et restait en observation chez le docteur Livingstone. J'ai immédiatement diffusé un message vous disculpant de l'incident, avant que la rumeur ne se propage. Dans le cas contraire, le village entier vous aurait accusé d'avoir poussé Virginia.

C'était donc cela le message des haut-parleurs !

— Je ne complote pas dans votre dos, Mr Kite, si c'est ce que vous pensez.

Il avala la dernière bouchée de haddock et reposa sa fourchette.

— Je tiens à vous, continua le milliardaire, vraiment. Il faudrait éclaircir cet incident.

Kite manqua s'étrangler.

— Cet incident ! éructa-t-il alors que sa gorge recommençait à le chatouiller. Il s'agirait plutôt d'un meurtre ! On lui avait cousu des ailes dans le dos, sir Grant. Cette petite fille est probablement décédée des suites d'une hémorragie. Vous ne semblez pas mesurer l'importance de ce crime. Il faut prévenir la police de la côte...

— Ce n'est pas nécessaire puisque nous vous avons parmi nous. N'êtes-vous pas inspecteur au New Scotland Yard ?

Kite hallucinait.

— Je ne le suis plus ! Et quand bien même, votre île ne ferait pas partie de ma juridiction... Nous n'agissons pas en mercenaires comme votre sergent Bolt, sir Grant, nous respectons des règles, nous appliquons des méthodes...

Le milliardaire fixa intensément Kite dans les yeux. Ce regard gêna l'ex-inspecteur. Il était comme hypnotique.

— Vous savez pertinemment que personne ne pourra

77

ni accéder à l'île, ni en sortir pendant une semaine. L'orage a détruit les réseaux de communications. Ne jouez pas au plus fin avec moi, inspecteur. J'ai tout de suite lu dans vos yeux que vous espériez me rencontrer, tout à l'heure sur la route. Vous souhaitiez cette invitation pour me cuisiner en douceur... Un flic reste toujours un flic... Ne vous fâchez pas, Mr Kite, j'avais justement l'intention de vous demander d'enquêter sur ce... (Il sembla hésiter puis se décida :) meurtre.

Kite était soufflé. Quelle franchise de ton! Il n'en espérait pas tant. D'un seul coup, alors que l'entente entre les deux hommes aurait dû se gâter, l'atmosphère redevint plus détendue, comme si chacun d'entre eux s'était libéré de ses humeurs malsaines. Néanmoins, l'ex-inspecteur ne pouvait accepter. Trop d'éléments étranges entouraient cette affaire. Il voulait le faire comprendre à son hôte sans vraiment opposer un refus. Il se réprimanda : « Bien sûr! Car tu ne veux pas refuser! »

— Vous n'avez pas besoin de moi pour trouver le coupable. Vos administrés l'ont déjà désigné.

Dwight Grant fronça les sourcils.

— J'ai entendu le père de la petite Virginia, continua Kite, l'homme soufflait entre deux sanglots que la chute de sa fille était une mauvaise farce de Wilfred...

— Vous connaissez Wilfred? s'étonna le milliardaire.

— Je l'ai même rencontré. Ce soir, au pub du village. Cet homme est fou.

— Comme vous y allez! répliqua sir Grant en secouant la petite clochette. Il fait partie du folklore de l'île, voilà tout...

— Voilà tout? manqua s'étrangler Kite. Vous rigolez? Passent encore l'avis de recherche placardé au mur et les flèches plantées dans les portes, mais quand un homme en vient à amputer des personnes de leur petit doigt sans que personne n'ose broncher, ou bien tout le monde est aliéné sur cette île, ou bien vous avez une conception du folklore qui me dépasse quelque peu...

La cuisinière arriva dans la salle à manger. Le milliardaire lui fit signe de s'approcher.

— Margaret, commença-t-il d'un ton doucereux, quand Wilfred vous a malencontreusement envoyé cette flèche dans le bras... (Il attira l'attention de Kite sur le bandage.) Avez-vous trouvé cela méchant?

La vieille dame sourit.

— C'est une espièglerie, sir Grant. Rien de plus... Le docteur Livingstone m'a bien soignée...

— Merci, Margaret, répondit le milliardaire, visiblement satisfait. Maintenant soyez assez aimable de nous apporter deux gâteaux *Eat Me* aux carottes. (Il fixa Kite de nouveau.) Vous allez voir, inspecteur. Ils ont été préparés par ma fille et sont succulents!

Kite était trop abasourdi pour reprendre la parole. La cuisinière recevait une flèche dans le bras et elle ne trouvait rien à redire, ne déposait même pas de plainte.

— Wilfred a mauvaise presse auprès des habitants de Blackbird, mais ils le craignent bien trop pour s'en défendre. C'est un homme inoffensif, ce n'est pas la peine d'aller fureter autour de son château...

C'en était trop. Kite devait reprendre l'avantage.

— Il me semble qu'il vous a également mutilé, sir Grant... Et il n'a pas l'air de vous porter dans son cœur. Il vous a traité de despote...

Le milliardaire eut un éclat de rire, puis leva sa main bien en évidence.

— En effet! Vous êtes bon observateur, inspecteur. Wilfred m'a effectivement puni. Je peux bien vous avouer que j'ai d'ailleurs été le premier à qui il a coupé le petit doigt. (Son visage s'obscurcit.) Ce jour-là, j'avais donné une sévère fessée à ma fille. Ce fut la dernière, croyez-le bien...

— Ce fou a l'air de défendre les gosses de l'île... Je n'en ai vu aucun pour l'instant. Les garde-t-il quand l'école est fermée ? Est-ce un professeur déguisé, railla Kite, la nounou de Blackbird ?

Sir Grant retrouva son sourire.

— Il est en effet très populaire auprès des enfants ! Ma fille l'adore ! Vous dites qu'il me déteste... Ce n'est pourtant pas réciproque.

— Ça ne vous gêne pas que l'on vous dicte l'éducation à donner à votre môme ?

— Au début, il est très difficile d'admettre que vous avez tort et que Wilfred a raison. Mais vous vous en apercevez au fur et à mesure, quand vos enfants reviennent vers vous car vous leur laissez bien plus de liberté...

La cuisinière déposa un plat sur la table contenant deux petites tartes. Sir Grant s'empara de l'une et la croqua avec un plaisir manifeste. Kite ne tendit même pas la main.

— Et cet accoutrement ridicule ? cracha-t-il. Cette cape et ce masque de corbeau ?

Son hôte haussa les épaules.

— À nous adultes, cela paraît grotesque, mais pour eux, c'est un appel au rêve !

— C'est une sorte de Zorro ? Un habitant de l'île qui se déguise le soir pour faire son petit numéro ?

— Non, détrompez-vous, répondit sir Grant en ramassant les miettes tombées sur la nappe, personne n'a jamais vu sa tête. Et il est arrivé que tout le village soit réuni sans exception et que Wilfred apparaisse. On ne sait pas vraiment comment il a atterri sur l'île. Un matin, il y a de cela quelques mois, nous avons tous observé un curieux manège de bateaux accostant l'île par le Nord-Est, près du château délabré. Quelque temps après, on est venu me livrer une caisse de whisky avec un dessin du château sur l'étiquette. Une carte signée Wilfred accompagnait les bouteilles.

— Vous voulez dire que cet homme masqué a installé une distillerie dans le château et s'occupe de cela en même temps que de terroriser les habitants de l'île?

Sir Grant approuva.

— Mais il doit avoir des employés? Des gens de l'île doivent travailler à la distillerie...

— Je peux vous assurer que non, se défendit le milliardaire. Il doit les faire venir d'une autre île des Orcades, de *Pomona*[1] très probablement. J'ai tenté de me renseigner, mais je n'ai rien réussi à savoir... Wilfred est très astucieux.

Paul Kite allait de surprise en surprise.

— Mais venez! fit sir Grant en se levant. Retirons-nous au salon. Je vous ferai déguster le *single malt* de Wilfred. Ses accents de tourbe se marient à merveille avec le havane.

Sans un mot, il se leva et prit la suite de son hôte.

Le salon était une pièce confinée, toute de bois vêtue. Chichement aménagée, mais avec goût, on comptait seulement quatre fauteuils en cuir, une table basse et une lampe à l'abat-jour grenat. Le milliardaire fit asseoir Kite et ouvrit la boîte à cigares posée sur la petite table.

— Je vous propose un *Allones Specially Selected*. C'est un très grand robusto peu connu. Vous appréciez le cigare?

---

1. Autre nom de l'île de *Mainland*.

— J'appréciais, répondit Kite, en coinçant le havane entre ses lèvres.

Il se pencha vers l'allumette que lui présentait sir Grant et tira quelques bouffées. Si son médecin l'avait vu, il en serait probablement mort ! Mais ici, dans ce manoir, sur cette île emprisonnée par les vagues, il se fichait bien des conseils du corps médical.

— Vous verrez... s'enthousiasma son hôte, cette vitole est très mûre, épices et caramel au début, puis quelque chose de plus miellé ensuite, de plus lacté...

Sir Grant tendit la main derrière le fauteuil et en ramena une bouteille contenant un liquide délicieusement ambré.

— Cuvée *Bivill's*, dix-sept ans d'âge. La dernière livraison de l'homme au masque de corbeau...

Le whisky, à l'inverse, Kite le déclina. Non pas que cela lui fût interdit, mais parce qu'il y avait ce pacte qui le liait à son beau-père. Ils s'étaient promis de ne jamais boire du whisky en solo, d'attendre d'être tous les deux là-haut pour déboucher une bouteille. Paul ne s'embarqua pas dans une telle explication et déclina simplement le verre que lui tendait son hôte pour cause de maladie. Sir Grant ne semblait pas dupe.

— Vous m'excuserez si je ne suis plus très causant, mais j'aime savourer mon robusto en silence...

L'ex-inspecteur ne s'en plaignit pas. Il avait suffisamment à ressasser avec ce que lui avait déjà appris le milliardaire. Que devait-il faire ? Quelle attitude adopter ? Accepter de mener l'enquête ? Mais avec l'aide de qui ? Il se doutait bien que les habitants de Blackbird ne l'aideraient pas dans sa tâche. C'était un doux euphémisme. Ils iraient même jusqu'à lui mettre des bâtons dans les roues.

— Si vous acceptez, Mr Kite, je ferai le nécessaire

auprès de mes administrés pour qu'ils vous facilitent la tâche, lâcha sir Grant comme s'il lisait dans les pensées de son invité.

Cela confirma l'opinion de Kite. Ils avaient bien quelque chose en commun. Un traumatisme non digéré très probablement, son dernier échec pour Kite, la mort de sa femme pour Dwight Grant...

L'ex-inspecteur ne s'imaginait pas le milliardaire en train de lui mentir, en train de le bluffer. Il devait dire vrai au sujet de l'annonce par les haut-parleurs. Mais alors pourquoi tout le monde l'avait-il fui dans les minutes qui avaient suivi?

La réponse à cette question fut ajournée par des bruits de pas venant du hall et se dirigeant vers le petit salon. À leur légèreté, il ne pouvait s'agir que d'un enfant. D'une petite gamine comme Virginia.

Sir Grant se leva presque aussitôt et ouvrit la porte. Sa fille se tenait juste derrière.

— Je vous présente ma petite fille, fit-il à l'intention de Kite.

Il la prit par la main.

— Chérie, voilà Mr Kite. C'est un ancien inspecteur du New Yard. Il est ici en touriste, ne t'inquiète pas...

La fillette salua Paul de la main. Elle lui fit très forte impression. Quel âge pouvait-elle avoir? Dix, onze ans tout au plus... Elle en paraissait bien quinze lorsqu'on la fixait droit dans les yeux. On éprouvait un sentiment si étrange qu'il était impossible de soutenir son regard plus de quelques secondes. Elle était vêtue comme une enfant de son âge, d'une longue robe rouge qui lui descendait jusqu'aux chevilles.

— Mr Kite est là pour Virginia? questionna-t-elle.

Sa voix était douce. Très douce. Kite se rappela Mary au même âge. Elle faisait beaucoup plus gamine que miss Grant. En la regardant, on pouvait percevoir dans son regard comme un tourment lointain, une expression qui n'avait rien à faire sur le visage d'une petite fille.

Depuis le début de sa dépression, il avait appris à connaître les gens sans même leur avoir parlé. Juste en les fixant, en détaillant leurs traits. Son verdict pour la fille de son hôte était sans appel : on aurait dit que cette charmante demoiselle avait déjà *vécu*. Il frissonna.

— Non, ma chérie. Mr Kite est mon invité. Il est venu pour la source.

— Il y a encore des gogos? s'amusa-t-elle, en jetant des regards timides qui ne trompèrent pas Kite.

Sir Grant se força à rire et tapota l'épaule de sa fille.

— Pourquoi es-tu descendue, ma chérie?

— Pour te dire bonsoir. Judith m'a dit que tu avais un invité et je voulais aussi le rencontrer. Maintenant je vais retourner me coucher. Bonsoir papa, bonsoir Mr Kite.

Paul ignorait toujours le prénom de la jeune fille et se contenta d'un bonsoir souriant. Elle embrassa son père sur la joue, puis lui remit le cigare entre les lèvres.

— Je t'aime, papa!

Elle prit congé, courant à travers le hall pour gagner l'escalier. Quand il se retourna, sir Grant avait les yeux humides.

— Je vous prie de m'excuser. Je ne peux retenir mon émotion quand elle me dit « Je t'aime ». Elle n'a jamais pu le dire une seule fois à sa mère, savez-vous. Ma femme est morte en couches...

La gorge de Kite se serra d'un seul coup et la douleur lui scia le cou. Le médecin l'avait prévenu quelque temps après son opération. Il devait se retenir de sangloter, sinon il éprouverait invariablement une douleur dans le larynx. La scène l'avait ému.

Il posa son cigare sur le rebord du cendrier et se massa la gorge. Son hôte avait regagné le fauteuil et tirait de pleines bouffées de havane.

— Je vais me retirer, sir Grant, murmura Kite pour ne pas amplifier la douleur. Je vous remercie pour le dîner.

Le milliardaire s'essuya les yeux du revers de son pull.

— Voulez-vous que je vous réveille demain matin? demanda-t-il.

— Je vous remercie, mais j'ai une horloge dans la gorge. Chaque matin, elle me gratte. Et ce n'est pas le cigare qui a dû l'arranger...

Sur ce, il s'excusa une fois encore et laissa sir Grant avec ses volutes de fumée. Deux heures sonnèrent à la pendule du hall. La journée avait été longue et éprouvante. Il gagna sa chambre et ne croisa personne sur son chemin.

Les cris venant de la chambre de sir Dwight Grant l'empêchèrent de s'endormir. D'abord simple gémissement, ensuite plainte lugubre et infernale qui ne semblait jamais s'arrêter... Il s'imaginait le corps filiforme du milliardaire se tordre de douleur sur son lit, comme un ver de terre blessé. Mais pourquoi? Était-il malade? Kite avait entendu son hôte dire que le plat en sauce de ce soir lui était interdit... Souffrait-il d'un ulcère?

Des sanglots perçaient à travers le mur pourtant épais de la chambre.

Il ne bougea pas, n'esquissa même aucun mouvement. Il rabattit la couverture sur sa tête pour se protéger. Lui qui croyait passer au manoir sa première nuit calme depuis son arrivée sur Blackbird... Et si Dwight Grant était malade de tristesse, tout simplement?

— Alice! Alice! suffoquait toujours le milliardaire. Ma petite fille!

Il pria pour que la crise s'arrêtât le plus vite possible. Même si la situation était difficilement tenable, Paul Kite n'aurait pas écouté le propriétaire des lieux gémir en vain : il connaissait à présent le prénom de sa fille, que sir Grant n'avait jamais divulgué durant la soirée.

— Alice... murmura Kite. Alice...

Un prénom qu'il trouverait, encore pour quelque temps, définitivement charmant.

Où Alice proscrit à ses ouailles l'exercice de l'amour
pour prôner celui de la guerre.

— *Je t'avais bien dit d'enlever ce costume de homard
si tu venais nous rejoindre dehors, ronchonna la petite
Alice alors qu'elle écrasait de toutes ses forces le
cadavre d'un oisillon tombé du nid.*

*Emily s'excusa platement. Elle avait oublié d'enlever
son costume de quadrille, pourtant elle savait que la
mignonne petite fille blonde, de deux ans sa cadette, ne
tolérait pas une telle négligence. C'est bien pour cela
qu'elle fut étonnée de sa réaction.*

— *Je te fais grâce pour cette fois, parce que j'ai beaucoup à faire ce soir, expliqua Alice de son ton suave
habituel. J'attends mes gardes du corps car je supervise
leur entraînement.*

— *Que leur demandes-tu ? osa questionner Emily
alors que les antennes rouges de son déguisement
commençaient à lui gratter le dos et ne manqueraient
pas de la faire bientôt éternuer.*

— *Je leur apprends l'art de la guerre, la méthode du
combat, fit sèchement la jeune fille, qui ne voulait pas
s'éterniser devant une vulgaire marionnette. Quand
l'heure sera venue, ils auront ainsi les armes pour me
faire triompher.*

Alice observa une pause puis reprit.

— *Ne tremble pas comme cela, homard peureux! Tu sais à quoi je fais allusion. Retourne plutôt au château et ordonne à Casper et à sa compagnie de venir me rejoindre ici.*

Emily obtempéra sans mot dire. Elle en profiterait pour abandonner cet accoutrement.

Pendant ce temps, la petite Alice entra dans la cour du château, monta en haut de la tour et avisa le créneau où était blotti le nid. Elle le trouva facilement et put ainsi lancer le plus loin possible sur la lande les œufs qui s'y trouvaient. Cela l'occupa jusqu'au retour d'Emily. L'adolescente revint, haletante, vers Alice. Elle avait troqué sa panoplie de crustacé contre un ravissant petit ensemble aux couleurs vives que l'autre lui envia aussitôt.

— *Casper ne veut pas venir, souffla-t-elle, définitivement exténuée, il est avec Rebecca...*

— *Ne me dis pas qu'ils s'embrassent, la gronda Alice, ou bien je vais être obligée de te corriger...*

Emily baissa les yeux au sol. Un silence de mort s'installa sur la lande. Même le vent arrêtait de remuer les plantes sauvages.

— *Tu vas me conduire auprès d'eux, ordonna froidement Alice, ensuite tu reviendras ici pour me cueillir des bouquets d'ortie. Tu m'en feras une décoction : mes cheveux me semblent fragiles, en ce moment.*

Alice était une fillette formidable qui aimait se servir du pouvoir des plantes pour se soigner. Elle n'avait jamais aimé les médecins et les considérait tous comme des charlatans.

Emily approuva sa punition car elle ne pouvait faire autrement. La dernière fois que la petite fille lui avait donné l'ordre de cueillir des orties, elle s'était gratté les bras et les jambes jusqu'au sang pendant deux jours et deux nuits.

— *Tu peux bien souffrir un peu pour moi, avait pouffé Alice, en entendant Emily geindre sous sa couverture. Si tu arrêtes de pleurnicher à mon signal, tu pourras boire de ma tisane. J'ai remarqué que tes ongles sont ternes, depuis quelque temps...*

Emily, en essayant de faire le vide dans son esprit, guida sa camarade dans les dédales du château, jusqu'à la chambre de Casper, le garde du corps attitré de la mignonne Alice.

Cette dernière ne prit même pas la peine de frapper et ouvrit la porte aussi violemment qu'elle put.

— *Casper!* hurla-t-elle sans pour autant que sa voix se brisât, *tu dois m'obéir et venir t'entraîner avec les autres au combat. Notre cause ne peut se permettre de tels écarts.*

L'adolescent, âgé maintenant de quinze ans, n'aperçut pas tout de suite sa maîtresse et chercha des yeux la personne qui pouvait l'invectiver avec autant de force.

— *Rebecca,* grinça Alice, *va-t-en! Je ne veux plus te voir en compagnie de Casper, c'est entendu?*

La jeune fille bafouilla quelques mots et desserra l'étreinte de son compagnon. Casper lui donna un dernier baiser sur la joue, puis elle gagna la porte sous le regard réprobateur d'Alice.

— *Je ne suis pas contente de ton attitude,* insista bien la jeune fille en se rapprochant de son garde du corps, *tu sais bien que notre cause ultime nécessite une attention de tous les instants. On ne peut laisser la place à de telles bêtises. J'ai prévu un lourd programme pour toi et ta patrouille, ce soir: fauchage d'un champ à l'épée, course de vitesse le long des falaises, éventration de sacs de riz, cours sur l'ingestion des poisons et ses antidotes...*

Alice énumérait son entraînement comme si elle résumait ses activités de vacances à ses parents.

— *Tu nous avais dit que les trows aimaient la musique et craignaient les bons sentiments. L'amour, c'est beau, ça doit les embêter!*

— *Je ne te parle pas de notre combat contre ces vulgaires monstres! cracha-t-elle. Je te parle de notre but ultime, celui qui guide nos actions depuis le début de notre aventure...*

Alice crut entendre Casper grommeler.

— *Tu n'as pas à embrasser cette mijaurée! explosa-t-elle soudainement. Tu sais bien que je ne le supporte pas.*

— *Mais je suis amoureux, crut bon de préciser le jeune homme en glissant l'épée dans son fourreau.*

— *Tu ne sais pas ce qu'est l'amour! fulmina Alice, si énervée qu'on aurait dit que sa longue chevelure couleur de blé allait se teinter de pourpre. Tu crois aimer cette péronnelle, alors que tu es seulement victime de l'éveil de tes sens...*

Emily était restée dans l'embrasure de la porte. Elle aurait aimé poser sa main sur l'épaule d'Alice pour tenter de la calmer, mais ne s'autorisa pas un tel geste familier.

— *Il appartient à moi seule de décider où, quand et de qui tu tomberas amoureux dans le futur, continua la blondinette. En attendant, tu dois te contenter de m'obéir et de progresser dans l'art de la bataille. Tu m'as comprise?*

Le jeune homme s'avança et s'agenouilla devant sa maîtresse. La robe d'Alice voletait sur le menton de son garde du corps personnel.

— *Je ne peux te promettre d'arrêter d'embrasser Rebecca. J'éprouve quelque chose de si fort quand je me* serre contre elle... C'est la première fois et je ne veux pas perdre cette sensation...

Alice trépignait avec fureur. Son visage était rouge sang, ses mains battaient l'air avec acharnement. Son agacement était tel que ses yeux se révulsèrent presque.

Alors, Emily hurla cette phrase si fort que la souris qui gambadait sur le sol prit peur et se réfugia dans son trou :

— Qu'on lui coupe la tête !

6

Lundi 2 avril

Étonnamment, Paul Kite se réveilla sans éprouver aucune douleur, ni aucune gêne. Après le cigare, il s'attendait à s'éveiller la bouche pâteuse, la gorge en feu, respirant par intermittence, avec, à chaque expiration, un bruit rauque venant du fond de son larynx.

Il n'en était rien. Au moment de s'asseoir sur le lit, il éprouva même un délicieux sentiment de sérénité. Depuis combien de temps ne s'était-il pas levé en aussi bonne forme?

Par la fenêtre, il aperçut le ciel sombre et bas. Huit heures sonnèrent à la grande pendule du couloir. Il se doutait que la situation était la même tout autour de l'île : les éléments devaient se déchaîner. Kite se rappela une conversation qu'il avait surprise dans le pub la veille entre deux hommes aux visages burinés.

— On croirait pas que c'est possible quand on voit notre ciel. Du temps des touristes, on leur racontait des fariboles comme quoi c'est le grand corbeau qui faisait fuir les nuages en soufflant fort.

Kite n'avait pas bronché en entendant cette légende. Il

se demandait comment l'île pouvait être aussi épargnée. À l'horizon, on ne voyait que la brume.

Il se leva. Il tenta de revenir sur sa soirée : la rencontre avec Wilfred dans le pub, puis celle avec sir Grant, leur discussion, et enfin la découverte de la petite Alice dont le père lui avait appris le prénom en se tordant de douleur dans son lit.

Kite se dirigea vers la salle d'eau. Il n'avait pas passé de pyjama et n'éprouvait ainsi aucune sensation d'inconfort. Il détestait que ses vêtements lui collent à la peau quand il transpirait.

Il considéra sa bonne humeur du matin comme un signe du destin, une attitude qui l'enjoignait à accepter la proposition de sir Grant d'enquêter en douceur sur le décès de la petite Virginia. Il n'allait pas l'annoncer au milliardaire dans ces termes. Il ne voulait pas avoir des obligations de résultats. S'il commençait ses investigations, c'était principalement pour lui, pour se prouver qu'il existait encore, qu'il n'était pas juste bon à regarder son poste de télévision du matin au soir. Il divulguerait ses informations au compte-gouttes, en essayant de faire clairement ressentir à sir Grant son engagement pour que ce dernier puisse agir auprès des autochtones.

Une fois douché et habillé, il descendit dans la salle à manger. On avait dressé un seul couvert. Sir Grant ne devait pas être là, Alice déjà partie à l'école.

— Prenez place, fit simplement Margaret en le voyant arriver, je vous ai préparé du café noir et du thé.

— Le café suffira, articula Kite.

Les premiers mots du matin lui demandaient un effort particulier.

Elle réapparut quelques minutes plus tard, la cafetière dans une main, un panier en osier dans l'autre. Elle déposa les deux sur la table, puis proposa à Kite un véritable *scottish breakfast*. Paul s'en pourlécha les babines à l'avance et attendit que la cuisinière revînt en savourant son café. Le liquide ne lui brûla pas la gorge. C'était une première. Il se sentait fort ce matin.

Il regarda son reflet sur la cafetière argentée. Ses yeux n'étaient plus cernés, il souriait même. « Mais que t'arrive-t-il? » demandait la petite voix qui l'accompagnait en toutes circonstances depuis maintenant trois ans. « Tu as avalé trois boîtes d'antidépresseurs avant de te coucher? Ou bien on t'a carrément lobotomisé pendant la nuit? » Il ne chercha pas les réponses, savourant l'instant rare. Se retenant pour ne pas siffloter, il souleva d'une manière espiègle le torchon recouvrant le panier. À l'intérieur, il trouva quelques queues de cochons.

C'est le moment que Margaret choisit pour venir déposer devant Kite une assiette.

— *Porridge, beans* et petites saucisses.

Il commença immédiatement. Margaret s'assura que tout allait bien, puis voulut prendre congé. Kite la retint d'un haussement de sourcil.

— Ce panier avec les queues de cochons, l'entreprit-il après avoir fini de déglutir, vous l'avez préparé pour Alice, n'est-ce pas? C'est aujourd'hui le *Tailing Day*?

Margaret sourit et leva un coin du torchon, laissant apparaître son contenu.

— Oui, souffla-t-elle, mais miss Alice ne s'amuse pas à ce jeu-là. Elle les distribue à ses petits camarades...

La fille de sir Grant l'avait intrigué. Il ne l'avait vue que quelques minutes, mais elle lui avait fait forte impression. Le regard de la fillette semblait hésiter à chaque instant entre la douceur et la dureté. Il devait profiter d'être seul à seul avec Margaret pour l'entretenir sur ce sujet.

— C'est une enfant renfermée?

— On ne peut pas dire cela, répondit la cuisinière en haussant les épaules. Disons qu'elle a son petit caractère... Solitaire un jour, puis de nouveau à la tête de sa bande de copains le lendemain...

Kite attaqua une petite saucisse parfumée aux herbes. Il trouvait presque inconvenant d'engloutir son petit déjeuner en questionnant cette brave femme, mais ses papilles gustatives le sollicitaient comme jamais. Comme avant, pourrait-il dire...

— Je l'ai aperçue hier soir, confia Kite. Elle m'a paru être une petite fille modèle. Elle ne doit pas poser beaucoup de problèmes à son papa?

Toujours prêcher le faux pour connaître le vrai. Paul se demanda si la cuisinière en était dupe...

— Ce n'est pas facile d'élever seul une jeune fille. Surtout quand on est un homme aussi occupé que sir Grant... Mais Judith le seconde énormément et Alice ne lui en fait pas voir.

— Mais quand arrivera l'adolescence...

— Vous avez une fille, Mr Kite? demanda la vieille femme.

Paul approuva.

— Vous en a-t-elle fait voir durant son adolescence?

— Non, pour tout vous dire, fit-il après avoir réfléchi. Ma femme était à son écoute. Il n'y a pas eu de problème particulier. Juste quelques achoppements...

— Oui, votre femme était à son écoute... Miss Alice a perdu sa maman... Son adolescence sera compliquée... Très compliquée...

Kite se demanda subrepticement quel âge pouvait bien avoir la fillette. Margaret semblait parler de cette période comme un futur lointain, alors qu'il s'agissait plus probablement d'une question de quelques mois. Il se retint de faire le moindre commentaire.

— Et ce matin? interrogea-t-il. Elle est déjà partie?

La cuisinière secoua la tête.

— Elle dort encore. Elle s'est couchée tard hier soir. Vous n'ignorez sans doute pas que le *Tailing Day* est un jour férié pour les enfants sur Blackbird. Ils sont dispensés d'école...

Kite plissa les yeux.

— Sir Grant a décrété cela?

— Non, corrigea la vieille femme, pas sir Grant. Wilfred. Il a placardé des parchemins dans toute la ville pour annoncer la nouvelle aux enfants. C'est en voulant envoyer ce mot à l'intention de sir Grant sur la cheminée depuis le jardin que Wilfred m'a transpercé le bras avec une flèche...

— Et personne n'a rien trouvé à redire! manqua s'étrangler l'ex-inspecteur. Ce que dit ou écrit Wilfred est parole d'évangile pour l'île entière?

— Sir Grant est le seul à le contester, mais il ne veut pas de représailles contre ses administrés. Alors il laisse faire. Et tout se passe bien! En espérant que l'homme masqué n'ira pas trop loin un jour prochain...

— Comme assassiner une fillette, par exemple...

Kite avait lâché sa phrase d'un ton presque menaçant.

— Il ne le fera jamais, éluda la cuisinière en tâtant sa blessure. Il aime trop les enfants pour leur faire le moindre mal.

— Alors qui?

Le visage de Margaret changea du tout au tout. Il devint presque moqueur.

— Allons, Mr Kite... Vous n'avez pas honte de m'interroger de la sorte, moi, une vieille femme qui ne sait rien...

L'ex-inspecteur se mordit la lèvre inférieure. Avait-il commis une bévue?

Il plongea les yeux dans l'assiette vide. Ce fut la domestique qui réengagea la conversation. Le ton était de nouveau doux.

— Avant de partir, sir Grant m'a laissé des instructions. Si vous partez ce matin et que vous ne revenez pas au manoir ce midi, je vais vous préparer des sandwiches et quelques boissons...

Kite hocha la tête de contentement. En effet, il allait s'absenter la journée entière, pour retourner près de la *Gull's Stone*, puis rendre visite à ces deux personnages excentriques, vivant en marge du village, qu'il n'avait jamais croisés, mais dont il avait entendu parler : ce couple séparé dont le mari habitait le moulin et la femme une petite cabane non loin du loch Dornoch. Il avait eu cette idée à l'instant. Peut-être ne considéreraient-ils pas Kite comme un ennemi ?

Mais il ne fallait pas crier victoire trop vite. Ces deux fous pouvaient se comporter à l'instar de leurs compatriotes insulaires... Ou bien plus énigmatiquement encore...

Paul Kite ne glana rien autour de la pierre. La police avait fait un travail exemplaire, car il ne put y déceler la moindre trace récente de la présence d'un cadavre. « Tu croyais peut-être découvrir quelques indices comme au bon vieux temps », ricana la méchante voix. L'ex-inspecteur ne se fit pas d'illusions : il devrait travailler à partir du témoignage des insulaires et fouiner ici et là, le plus discrètement et le plus efficacement possible. Il ne pouvait guère interroger les parents de la jeune fille qui la croyaient simplement blessée. Par contre, il pourrait retourner questionner Bolt si sir Grant l'avait averti. « Travailler... Fouiner... » énumérait la voix. « Tu repars sur les chapeaux de roues, dis-moi ! C'est de traquer l'assassin qui te donne cette forme ? »

Il resta jusqu'à midi sur la lande et y déjeuna. Il ne voulait pas arriver le matin chez ces gens. Et puis cette longue marche lui permettrait de faire le point et de se débarrasser de la petite voix, au moins pour quelques heures. Sur la lande, les arbustes et les herbes ployaient sous le vent violent.

Les sandwiches *lamb and pickles* « faits maison » étaient succulents. Il n'était pas resté près du rocher, même s'il ne lui semblait plus aussi menaçant que lors de sa découverte macabre. Les oiseaux revenaient s'y percher avec grâce. Le lieu semblait avoir repris vie. Il s'était dirigé vers la source. À son grand étonnement, il avait savouré l'eau de Blackbird Spring. Était-ce cela le secret de sa gorge moins douloureuse ? Il savait bien que non. Il se dédouana en prétextant une simple envie de s'abreuver.

Le chemin menant au moulin de l'homme reclus n'était pas compliqué à trouver. Il suffisait de continuer vers la plage.

Tooth Mill était situé en bordure de la lande, faisant face à la plage. C'était très étrange de voir ce vieux moulin abandonné à cet endroit. Quelle avait pu être sa nécessité ? Moulin à vent très probablement, car aucune rivière ne passait à proximité ; il s'agissait vraiment du lieu le plus isolé du village, si l'on exceptait le château de Wilfred.

Paul Kite ne savait pas vraiment ce qu'il venait chercher ici. Un témoignage ? Et si l'homme avait été dans les parages quand Virginia s'était rendue à la *Gull's Stone* ? Il frappa à la porte alors que les nuages menaçaient de déverser leur contenu sur le paysage. Kite n'était pas mécontent d'entendre des grommellements derrière la porte. Il se mettrait ainsi à l'abri. Le grain qui se préparait s'annonçait sévère.

Il frappa une seconde fois car personne ne lui ouvrait.

— Qu'est-ce que c'est? C'est toi, vieille mouette?

L'homme devait très probablement faire allusion à sa femme.

— Je suis Paul Kite. Un orage se prépare. Pourriez-vous m'accueillir pendant ce temps?

La réponse ne se fit pas attendre.

— S'il se prépare simplement, vous avez le temps de rentrer jusque chez vous... Fichez le camp!

L'homme derrière la porte n'avait pas l'air de blaguer. Soudain, des gouttes atterrirent sur le front de l'ex-inspecteur. L'ermite avait dû s'en rendre compte, car il déverrouilla sa porte et l'ouvrit.

— Entrez, marmonna-t-il.

Kite se perdit en remerciements après avoir pénétré à l'intérieur du moulin. C'était une tactique qu'il employait souvent. Tenir un discours stéréotypé à son interlocuteur pour pouvoir détailler la pièce en toute quiétude. Ses méthodes lui revenaient naturellement. Il en avait presque honte.

L'intérieur était constitué d'une simple et unique pièce. À droite, on y trouvait une cuisine et une table de bois. À gauche, un lit rudimentaire était collé au mur de pierre. Il ne faisait pas chaud dans le moulin. Cet ermite ne semblait pas frileux. Petit de taille, la bedaine pendante, son visage calleux et sa longue barbe blanche lui donnaient un aspect de savant fou. Il ne devait pas se laver quotidiennement. Une odeur de sueur transperçait allégrement ses frusques.

— Mon nom, c'est Douglas, baragouina l'homme qu'on eût cru tout droit sorti d'un dessin animé. J'ai pas l'habitude de recevoir du monde. Faut m'excuser... Et puis c'est ce fichu jour des mômes! Moi, les queues de cochons, je préfère les avoir dans le gosier que dans le dos...

Il fit signe à Kite de s'asseoir à la table. Ce dernier ne se fit pas prier et se laissa littéralement tomber sur son siège.

— Vous êtes fatigué? Touriste?

Paul hocha la tête à deux reprises. Il ne savait comment amener le sujet sur le tapis. Il décida de laisser Douglas s'exprimer.

— Vous êtes pas le premier à être bloqué sur l'île à cause de la tempête...

Il sortit de sous la table une bouteille en verre contenant un liquide transparent et s'en avala une bonne rasade. Il la tendit à Paul qui déclina gentiment.

— Du temps de feu sir Grant, c'est par dizaines que les zozos restaient... Ça faisait vivre l'île toute entière... Moi et ma femme, on avait même aménagé une pièce en haut. Ils se battaient pour venir passer la nuit au moulin.

Le vieux — Kite le surnomma ainsi alors qu'ils devaient avoir le même âge — semblait nostalgique de cette époque. Il se tut un long moment après avoir fini la bouteille. Quelques bougonnements s'échappaient par intermittences de sa bouche.

— Pourquoi restez-vous en marge du village? se risqua Paul. Vous ne vous entendez pas avec les autres habitants?

— Ils nous ont chassés! cracha Douglas. Moi et ma femme... Ce n'était plus vivable... Ils nous traitaient de fous à chaque coin de rue, jetaient des pierres sur les vitres de notre maison. Ils ont même été jusqu'à kidnapper notre petit garçon pour le sauver de nos griffes, comme ils disent...

Kite se concentra sur les paroles de l'ermite.

— Nous sommes allés trouver feu sir Grant et nous lui avons expliqué la situation. Il a été très compréhensif et nous a donné l'autorisation de nous installer dans le moulin. Mais ma femme n'a pas supporté l'endroit, alors elle est partie avec mon fils dans la cabane près du loch. Depuis, nous veillons sur Nessie.

Kite se demandait bien pourquoi le village avait voué une telle haine au couple et à leur enfant. La dernière phrase de Douglas lui donnait certainement un début d'explication. Nessie, réfléchit l'ex-inspecteur du Yard, c'était bien le surnom donné au monstre du loch Ness... Il avait lu un article de journal à ce sujet il y avait de cela deux ans. La légende était réapparue : on avait aperçu une créature de dix à quinze mètres de long au bord du loch. Cela avait relancé le débat opposant les supporters de Nessie et ses détracteurs. « L'imaginaire contre la rationalité, les enfants contre leurs parents », aurait dit Wilfred. Mais Kite se raisonna. Le loch Ness se situait à au moins cent miles[1] de l'île de Blackbird. L'homme était en plein délire, ou bien sous l'emprise de l'alcool. Kite ne savait plus comment manœuvrer. Avec une personne saoule, on ne pouvait rien prévoir. Il se risqua.

— Votre retraite doit vous laisser quelque temps pour vous promener sur la lande... Vous n'avez rien remarqué de particulier ces derniers jours ?

Douglas se saisit d'une autre bouteille traînant sous la table. À son regard, Kite comprit que l'ermite devinait parfaitement où il voulait l'entraîner.

— C'est du cadavre de cette fée que vous voulez me parler... ricana-t-il.

Il attendit une réaction de Kite, mais l'ex-inspecteur resta impassible.

— J'en vois des dizaines chaque matin sur la plage, soupira l'homme. La mer les charrie jusqu'ici. Je les

---

1. Cent soixante kilomètres.

remets immédiatement à l'eau de peur que l'on s'en prenne à Nessie.

Même si son récit était décousu, Kite laissa l'homme continuer.

— C'est Nessie qui s'amuse à gober les fées. Elles virevoltent au-dessus de l'eau et ça énerve le monstre. C'est une provocation permanente! Ces garces-là n'ont pas encore compris que Nessie n'est pas méchante...

Kite était abasourdi. À côté de la conviction de Douglas, le spectacle d'hier soir au pub lui semblait presque réel. Blackbird Island n'était décidément pas une île comme les autres.

— Mais Nessie est le monstre du loch Ness, constata Kite.

— C'est faux! éructa l'homme dont on eût dit que la longue barbe allait s'enflammer suite à son courroux. Elle n'a pas résidé longtemps au loch Ness. Elle y a fait un très court séjour, mais s'est rapidement lassée d'être prise en photo.

Paul Kite se pinça. Rien n'y fit, il était toujours dans ce moulin. La pluie tambourinait si fort sur les vitres qu'on eût dit qu'elles allaient exploser.

— Le monstre est venu à la nage depuis Los Angeles, expliqua l'ermite. Il a dû longer toute la Russie dans des eaux glaciales avant de s'arrêter dans le loch Ness. C'était en 1959. Le célèbre film de Dinsdale n'était pas un poisson d'avril. Ce fou a bien filmé le monstre. Ce sont les promoteurs du loch qui ont fait courir cette rumeur de supercherie pour que Nessie ne prenne pas la mouche et s'en aille. Si on apprenait que le monstre avait fui, plus de plongée sous-marine si lucrative, plus de musée idiot...

Douglas était comme en transe. Il parlait de plus en plus vite, avalant même certains mots.

— Nessie en a pris ombrage et s'est mise à chercher

un loch plus calme, moins exposé. Le loch Dornoch sur Blackbird lui a plu tout de suite. Cette légende de corbeau géant a excité son imagination, elle devait voir en lui un compère, un autre animal maudit... Nessie a conservé un côté enfantin très attachant.

Kite nota cette allusion à l'imaginaire et à l'enfance. Wilfred... L'image de l'homme au masque lui revint. Se pourrait-il que Douglas fût Wilfred? Et s'il tentait de l'embrouiller en ce moment pour lui enlever tout soupçon?

— Depuis, nous la veillons, moi et ma femme, et nous faisons tout pour qu'elle puisse finir sa vie en paix, loin de l'agitation médiatique. Plus tard, notre fils prendra la suite, et son fils après lui...

Kite se décida à reprendre en main la conversation. Cette logorrhée n'avait que trop duré.

— Mais ne dit-on pas que le monstre serait apparu dans les années trente? objecta-t-il, redoutant la réaction de son interlocuteur.

— Foutaises! siffla Douglas. La photo de cet horrible chirurgien royaliste était bel et bien truquée! Le loch est resté vide jusqu'en 1959. Relisez les témoignages les plus intéressants... Ils sont postérieurs à cette date...

L'homme n'avait plus toute sa raison. Kite ne devait pas perdre son temps à objecter.

— Pourquoi la défendez-vous? demanda-t-il.

— C'est un être faible malgré sa carrure, répondit Douglas, le plus naturellement du monde. Nessie a beaucoup souffert dans la vie. Elle doit maintenant aspirer au repos.

Il marqua une pause.

— Salauds d'Américains, baragouina-t-il.

Kite resta muet.

— Ce sont des expérimentations honteuses dans les studios de cinéma qui ont produit ce monstre, des fornications au-delà de tout ce que vous pouvez imaginer, même à Hollywood.

Paul jeta un rapide coup d'œil sur les photos punaisées au mur. On pouvait y voir des couples de vedettes américaines avec leurs enfants. Mais les visages des bambins avaient été systématiquement remplacés par une tête monstrueuse.

— La bête a joué dans tous les navets possibles et imaginables à partir des années trente. Les grands pontes des studios l'ont trouvée rapidement démodée, mais ils n'osaient pas le lui dire par peur de sa réaction. Alors ils n'ont rien trouvé de mieux que de la dénoncer auprès de la commission des activités anti-américaines. On a taxé la bête de communisme et elle n'a pas eu d'autre choix que de quitter les studios pour de bon. Quand elle nageait au large des côtes russes, il paraît que Khrouchtchev en personne lui aurait demandé de rejoindre l'industrie cinématographique soviétique...

Kite n'avait maintenant plus qu'une seule envie : que la pluie cessât et qu'il pût partir. Il n'apprendrait rien de ce fou. Toujours la petite voix : « Ne catalogue pas les gens trop vite... Il se joue peut-être de toi... Garde tes distances, mais ne pars pas en courant. »

— Pour en revenir à la petite fille...

— La petite fée, le coupa Douglas. Wilfred m'a mis au courant hier au soir. Je ne m'explique pas cette découverte. Il est impossible que Nessie l'ait gobée et qu'on l'ait retrouvée si loin...

— Vous connaissez Wilfred ? Il vient chez vous de temps en temps ?

— Non, corrigea l'ermite, il placarde des parchemins sur la porte du moulin pour m'informer des nouvelles de l'île, et puis pour que je raconte des histoires aux enfants, quelquefois...

Les tempes de l'ex-inspecteur battaient la chamade.

— Il vous invite au château de temps à autre? demanda-t-il en essayant de ne pas paraître énervé.

— Jamais! Il mène les enfants au moulin. C'est un gars très brave quoiqu'un peu bizarre. Ce masque, par exemple!

Ainsi Wilfred entretenait des rapports étroits avec les enfants de l'île. Cela se comprenait pour qui avait assisté à son entrée dans le pub. Il les défendait avec une telle fougue.

Si Paul n'avait pas glané d'indices au sujet de la petite Virginia — seule une entrevue avec Bolt ou son collègue pourrait sûrement l'éclairer —, il était de plus en plus intrigué par cet homme au masque de corbeau. Pour lui, il devait tenir un rôle capital dans cette histoire. « Dans ce conte terrifiant », aurait probablement renchéri Wilfred.

La pluie avait cessé aussi subitement qu'elle était venue. Kite avait besoin d'air. Il prit congé de Douglas en le remerciant chaleureusement de son accueil.

En marchant de nouveau sur la lande, son estomac lui fit mal. Une infime douleur s'y baladait et il fut obligé à trois reprises de stopper sa marche pour laisser passer le mal. La pluie avait détrempé tout le paysage. Fort heureusement, une route goudronnée menait au loch Dornoch.

Une fois encore, Kite ne croisa aucune voiture jusqu'à destination. Il se demanda si la femme de la cabane allait le recevoir... Était-elle aussi étrange que son mari? Allait-elle lui servir le même discours sur le monstre du loch Dornoch? Il l'ignorait. Il espérait simplement qu'il glanerait d'autres informations au fil de la conversation.

L'ex-inspecteur s'arrêta net lorsqu'il aperçut le loch derrière un talus qu'il finissait d'escalader. Le paysage avait quelque chose de majestueux. Cette échancrure d'eau dans la terre, dominée par un rayon de soleil perçant les nuages, donna à Paul l'envie de se poser quelques minutes. Il observerait les dizaines d'oiseaux de toute sorte, du cygne chanteur au plongeon arctique, et se délecterait du spectacle en priant pour que les nuages s'écartent et que le soleil se couche paisiblement à l'horizon.

Hélas, il ne pouvait se permettre d'adopter cette attitude de poète en herbe, à la recherche de l'inspiration et croyant la trouver dans la simple contemplation d'un paysage. Il était ici pour avancer, pour tenter de comprendre ce qui se tramait sur l'île. Pour revivre, aussi. Surtout.

L'habitation ressemblait plus à une maisonnette qu'à une simple cabane. Les murs étaient faits de pierres blanches, le toit de tuiles pour la plupart ébréchées.

Il fallait suivre un sentier en contrebas pour l'atteindre. Ce que Kite fit alors que l'intensité de ses douleurs diminuait. Il devait très probablement avoir trop mangé hier soir et ce matin. Son estomac n'était plus habitué aux fringales.

Paul ne détecta pas une grande activité dans la maison. Les volets étaient ouverts, mais il ne vit aucun signe d'une présence humaine. Il frappa.

Quelques secondes suffirent à la porte pour s'ouvrir. Un jeune homme d'une vingtaine d'années, assis sur un fauteuil roulant, se présenta. Il devait s'agir de leur fils. Douglas ne lui avait pas dit qu'il était handicapé.

— Bonjour, commença Kite. Est-ce que votre mère est là?

— Non, elle est sur la barque au milieu du loch, vous ne voyez pas?

Paul tourna son regard vers l'étendue d'eau et aperçut effectivement une petite embarcation en son centre.

— C'est à quel sujet? demanda le jeune homme.

— Je suis Paul Kite. J'aimerais discuter avec votre mère au sujet de l'accident...

Le garçon ouvrit de grands yeux.

— Il n'y a rien à dire, fit-il. C'est un bête accident de football... Vous êtes des assurances?

— Je vous demande pardon?

— Si vous venez au sujet de mon accident, je vous dis que toutes les démarches sont maintenant terminées. Je me suis fait cette blessure au cours de la cinquième heure de match à Kirkwall[1]. Le docteur Livingstone se charge de me soigner. Tout va bien.

Kite avança d'un pas.

— Je ne voulais en aucune façon vous demander les raisons de votre accident, s'excusa Paul. Je parlais de cette petite fille retrouvée morte près de la *Gull's Stone*...

Il se renfrogna aussitôt. Kite était ravi d'apprendre que cette blessure à la jambe n'avait pas pour cause une incartade du monstre!

— Vous êtes déjà allé voir mon père? demanda le garçon.

— Oui.

— Alors il vous a donné notre version des faits, non? Ma mère n'aura rien à ajouter.

Le ton du jeune homme était presque agressif. Il ne proposa même pas à Paul de pénétrer dans la maison. Kite décida de mettre les pieds dans le plat.

— Cette explication abracadabrante de monstre gobeur de fée? Vous vous fichez tous de moi?

— Nous n'avons pas à vous répondre quoi qu'il en soit... Vous ne faites pas autorité sur l'île. Vous n'êtes ni Wilfred, ni sir Grant.

------

1. Le jour de Noël et le jour du nouvel an, un match de football, appelé le *Ba'*, est organisé dans les îles Orcades. On y compte plus de deux cents participants et une partie dure environ sept heures.

Kite nota que le jeune homme avait cité l'homme au masque de corbeau en premier. Il ne savait pas comment mener cette entrevue. S'il entrait dans les fantasmes du garçon, peut-être avait-il une chance d'en retirer quelques éléments.

— Votre père m'a dit que Nessie n'atteignait jamais la *Gull's Stone*, fit-il, plus posément.

— Elle est incontrôlable depuis quelque temps, lâcha à regret le jeune homme. C'est pour cela que ma mère est partie la raisonner. Elle aurait très bien pu saisir la petite au vol puis la recracher très loin. Le souffle des plésiosaures est très impressionnant.

Quand il parlait du monstre, il prenait la même voix que son père, comme s'il recitait un discours appris par cœur, à l'intonation près.

— En attendant, continua-t-il, fébrile, je vous conseille de vous frotter le corps avec quelques feuilles de salseparcille, car son parfum ne plaît pas à Nessie. Nous en avons recouvert le toit de la maison.

Il fit rouler sa chaise à l'envers, laissant Kite seul et médusé. Quand il revint quelques secondes plus tard, il tenait dans sa main des feuilles jaunâtres.

— Tenez! souffla-t-il en les tendant à Paul. Comme ça, vous n'aurez pas besoin d'aller en cueillir...

Kite empocha les feuilles pour faire plaisir au jeune homme. Il aurait aimé le questionner plus longtemps, mais le garçon ne lui en donna pas l'occasion en lui claquant la porte au nez.

Il n'osa pas frapper de nouveau. De toutes les façons, cet insulaire, dont il ne connaissait même pas le nom, n'aurait rien voulu lui dire.

S'approchant des rives du loch, il se concentra sur la silhouette de cette femme, penchée par-dessus sa barque, qui semblait vraiment parler au monstre. Il sentit un regard peser sur lui. Quelqu'un l'observait derrière la fenêtre. Il fit semblant de ne pas s'en apercevoir et resta assis une longue heure. La femme ne revint pas, elle parlait inlassablement au monstre du loch Dornoch.

Paul comprenait pourquoi le village avait voulu sauver le fils de ce couple peu ordinaire. Hélas, tout avait échoué et le jeune homme avait suivi le même chemin que ses parents. En proie à une lassitude grandissante, Kite reprit son chemin vers le poste de police.

Il était près de cinq heures quand il aperçut le 4x4 de Bolt qui entrait dans la petite cour. Il attendait depuis plus de trente minutes, assis sur le perron. Le ciel s'était calmé. Il faisait presque beau.

— Mr Kite ! lança le policier, à peine descendu de sa voiture. Je vous cherchais... Sir Grant m'a demandé de veiller personnellement sur vous...

— Je n'ai besoin de personne, grinça l'ex-inspecteur.

Cet homme croyait-il pouvoir agir sur lui comme sur n'importe lequel de ses administrés ? Ce matin déjà, Margaret avait usé de cette même formule.

— Sir Grant a exigé que nous collaborions avec vous, poursuivit le policier. Mais que les choses soient claires, il n'y a aucun lien hiérarchique entre vous et nous. Nous ne sommes pas à vos ordres.

— Il n'en a été aucunement question. Je ne sais pas ce que sir Grant a bien pu vous raconter, mais je ne désire rien vous demander. J'aimerais simplement que vous ne me considériez pas comme un débile à chaque fois que je parais devant vous...

Pour toute réponse, Bolt sourit et invita Kite à entrer. L'ex-inspecteur ne sut pas comment interpréter ce sourire. Compréhension ? Ironie ? Il s'assit à la même place que la veille, mais ne se laissa pas tomber sur la chaise.

— C'est la première fois que vous retrouvez une petite fille morte ? demanda-t-il, à brûle-pourpoint.

— Bien sûr, cracha le flic. Qu'est-ce que vous croyez? Que le tissage de plumes sur le dos des jeunes filles de Blackbird est une activité de la kermesse patronale?

Soudainement, le corps de Virginia réapparut devant les yeux de Kite. On aurait dit qu'il était posé sur le bureau. En avançant sa main, il aurait pu le toucher, mais il se retint. Les ailes dans son dos étaient immobiles. Avaient-elles battu l'air ne serait-ce qu'une fois? Ce détail l'avait choqué au moment de la découverte, puis il l'avait bizarrement effacé de son esprit. Pourtant, ce devait être un élément capital s'il voulait parvenir à la vérité. Pourquoi des ailes?

— Ces ailes... commença-t-il. Elles ont une signification particulière dans les légendes locales? Je veux dire : existe-il un personnage de fée?

— Pas que je sache.

Le ton de Bolt était glacial. On sentait qu'il répondait aux questions de Kite contre son gré, seulement parce que son patron, sir Grant, avait légitimé l'ex-inspecteur du Yard dans cette affaire. Néanmoins, il devait dire la vérité. Aucun adulte n'oserait se jouer de sir Grant sur l'île.

— Je me suis rendu au moulin, continua Kite. Douglas m'a débité une histoire assez extravagante au sujet de Virginia.

Bolt releva la tête, retira sa casquette et se gratta le cuir chevelu.

— Il m'a dit que ce n'était pas la première fois qu'on retrouvait des fillettes, des ailes cousues dans le dos. Il a une théorie très particulière sur tout cela...

— C'est un fou, lâcha simplement Bolt. Il serine tout le monde sur l'île avec son histoire de monstre du loch Ness. C'est pour cela qu'il vit en marge de notre petite communauté.

— Vous ne semblez pas le porter dans votre cœur...

— Je n'aime pas les personnes trop excentriques, dit doucement Bolt. Elles n'apportent que de vilaines choses là où elles passent. Blackbird ne pouvait entretenir un canard boiteux et sa famille. Les insulaires voulaient envoyer Douglas sur une autre île, mais le père de sir Grant s'était montré inflexible : il ne tenait pas à ce que des familles vivant depuis des générations sur cette terre désertent.

— Wilfred bénéficie-t-il de la même mansuétude de la part du nouveau chef de village ? lança posément Kite, guettant la réaction de son interlocuteur. Un homme qui coupe les petits doigts de ses compatriotes semble bien plus dangereux qu'un illuminé voyant des monstres aquatiques dans chaque loch d'Écosse...

La réaction du policier ne se fit pas attendre. Bolt se frottait la tête de plus en plus vite. Kite n'arrivait pas bien à cerner l'homme au masque de corbeau. Il l'intriguait tant. Chaque témoignage avait son importance.

— Celui auquel vous faites allusion ne gêne personne. Vous pouvez ouvrir les casiers où j'enregistre les plaintes : il n'y en a aucune contre lui. À l'inverse, on doit pouvoir en compter une centaine au seul nom de Douglas. Si on rajoute celles contre sa femme et même contre son fils...

— Vous semblez avoir une drôle d'échelle de valeurs sur Blackbird, railla Kite.

— Nous vivons très bien comme cela. La cohabitation dans un petit espace nécessite des règles très strictes. Sinon, on ne peut survivre. Si la communauté considère que Douglas est plus nuisible à la société que Wilfred, alors il est de mon devoir d'y remédier...

— Wilfred n'est pas sur l'île depuis longtemps. Sir

111

Grant m'a dit qu'il était arrivé le dernier. Peut-être les mouches changeront-elles d'âne dans quelque temps...

— Je ne le crois pas, répondit Bolt, de plus en plus mal à l'aise. Mais cela n'a rien à voir avec la pauvre petite Virginia. Sir Grant vous a diligenté cette enquête précise. Il ne vous pas demandé de fouiner sur l'île. Wilfred est sans aucun doute un personnage très singulier, il n'en demeure pas moins qu'il est inoffensif... N'allez pas le déranger, il a les visites en horreur.

Juste la phrase à ne pas dire à Kite pour lui donner encore plus envie de se rendre au château délabré au nord de l'île. C'était étrange, cette sensation d'avoir de nouveau des envies. Cet homme au masque de corbeau l'intriguait au-delà du raisonnable... Il mutilait les insulaires en toute quiétude, avec la bénédiction même de ses victimes. Par curiosité, Paul détailla les mains de Bolt. Ses auriculaires étaient intacts. Sans doute le flic n'avait-il pas d'enfant.

— Douglas serait une sorte de bouc émissaire... enchaîna-t-il. Un homme faible, prisonnier de ses rêves... Presque un gamin... Il est si facile de s'attaquer à un enfant...

Le front de Bolt devint luisant. Il jeta des regards éperdus autour de lui. Peut-être cherchait-il des yeux son collègue pour lui demander de le remplacer. Quelques gouttelettes de transpiration poignirent sur ses tempes.

— Douglas m'a semblé être très lié à Wilfred... continuait Kite, faignant de ne pas avoir saisi le trouble du policier.

— Ce malade mange à tous les râteliers! geignit presque Bolt. Il est copain comme cochon avec Wilfred, mais il ne dédaigne pas l'obole de sir Grant. Encore une fois, je vous déconseille d'aller rendre visite à ce dingue. À moins que vous n'ayez besoin d'un personnage fantaisiste pour un bouquin, n'allez pas lui rendre visite. Cet homme est définitivement taré...

Kite hocha la tête. Il n'avait que faire des opinions de ce flicaillon. Il voulait rentrer chez sir Grant, à présent. La journée touchait à sa fin et il devait prendre un peu de repos. Une petite discussion avec le milliardaire s'imposait, d'autant qu'elle s'annonçait vivifiante. Mais avant de prendre congé de Bolt, il lui demanda s'il pouvait revoir le corps de la petite Virginia.

— Nous l'avons déposé chez le Dr Livingstone. Il faudrait lui demander. C'est le médecin-chef de l'île. Allez le voir à son cabinet demain matin. En ce qui me concerne, je n'y vois pas d'inconvénient...

Kite faillit lui rétorquer qu'il n'avait, de toutes les façons, pas à en voir, mais il se retint. Bolt s'était montré plutôt coopératif cette fois-ci et il fallait l'encourager dans cette voie. Il lui tendit la main et le policier la serra.

Quelques secondes plus tard, Kite se retrouva à l'endroit même où il avait rencontré sir Grant, la veille au soir. Aujourd'hui, il devait faire le chemin à pied. Il respira un grand coup et s'engagea sur la route. Quelques rayons de soleil faisaient luire l'herbe autour du cimetière. Tout autour de l'île, c'était encore le brouillard total.

Kite parlait bien mieux, depuis le matin. Son mal de gorge avait diminué, c'était un fait établi. A présent, c'est son ventre qui le chatouillait, comme si la douleur était descendue dans son corps, cherchant ainsi à le pourrir progressivement.

Son estomac le lançait. Peut-être la faim? Il avait retrouvé l'appétit depuis la veille... Il pensa à un plat de Margaret en espérant que ses douleurs s'estomperaient une fois ces délices avalées.

7

Quand Paul Kite arriva dans le salon, sir Grant se tenait dos au grand miroir de la cheminée et tentait, tant bien que mal, de décrocher la dizaine de queues de cochons que les enfants avaient pris un malin plaisir à lui accrocher. Cela fit sourire l'ex-inspecteur. Il resta un moment dans l'embrasure de la porte, caché du regard du gentilhomme. Sept heures sonnèrent à la pendule du hall. Kite prit cela comme une invitation à pénétrer dans la pièce.

— Les petits chenapans! rigola sir Grant en retirant la dernière queue. Ils ne m'ont pas raté, cette année!

Un large sourire barrait le visage du milliardaire. Il semblait heureux, serein. Était-ce le même homme qui geignait de douleur, le soir, seul dans son lit? « C'est la solitude qui le tue à petit feu », pensa Kite. « On ne peut se remettre de perdre sa femme si tôt. Et puis comment ne pas développer un sentiment de culpabilité quand il s'agit d'une mort en couches? » Il prit subitement conscience que Michelle lui manquait. Son cœur se mit à battre plus fort. Il vint serrer la main de son hôte.

— Désolé pour ce matin, mais je suis parti tôt, continua sir Grant en déposant les queues séchées sur la table basse. J'avais laissé des consignes à Margaret. Je suppose qu'elle vous a bien choyé avant votre départ?

Il approuva d'un hochement de tête.

— Mais asseyez-vous, Mr Kite... Le sergent Bolt vient de m'appeler. Vous vous êtes donc décidé à considérer ma proposition.

— C'est exact, répondit Paul en prenant place dans le gros fauteuil de cuir et en saisissant un cigare que lui tendait son hôte. Mais je ne peux vous promettre de continuer. Beaucoup trop d'éléments m'échappent sur cette île...

Sir Grant alluma son cigare, puis approcha la longue allumette du havane de son invité.

— Allons, Mr. Kite ! Vous n'êtes pas de ces hommes qui lâchent prise quand l'occasion s'offre à eux de se racheter...

Il fut soufflé. Encore une fois, le milliardaire avait vu juste. Il fallait un certain aplomb pour sortir une telle phrase. Dwight Grant faisait allusion à l'échec de l'ex-inspecteur trois ans auparavant. Cet échec qui avait coûté la vie de quatre femmes, qui l'avait fait sombrer dans la dépression... L'homme aimait visiblement les électrochocs. Cela conforta Kite dans ses suppositions : le milliardaire devait également être dépressif. Il se comportait comme tel, ou plutôt comme un homme qui savait appréhender le quidam empêtré dans le même désordre psychique que lui. Un homme qui considérait qu'il fallait tirer une leçon de chaque expérience, qu'elle soit heureuse ou malheureuse.

Un silence s'installa dans le salon.

Paul Kite eut subitement envie de le briser.

Il lui raconta sa journée par le menu. Sir Grant tirait paisiblement sur son cigare en l'écoutant. Ce n'est qu'à la toute fin qu'il prit la parole.

— Ce Douglas n'est pas vraiment méchant comme Bolt a tenté de vous le faire comprendre, lâcha-t-il. Il faisait peur aux habitants de l'île, alors nous avons pris la décision de l'isoler. Il est bien incapable de faire le moindre mal. À moins qu'il trouve un jour son monstre assassiné, il ne partira jamais en croisade. C'est un sédentaire invétéré. Si je ne lui livrais pas de la nourriture, peut-être même mourrait-il de faim...

— Douglas ne m'intéresse pas plus que cela. À l'inverse de Wilfred, qui me captive énormément.

Paul ne put se retenir :

— Il me fascine même...

— Il fascine beaucoup de monde, Mr. Kite, répondit Dwight Grant en lançant un curieux regard à l'ex-inspecteur. Moi-même, il m'a bluffé au début. Son accoutrement, son comportement... Un homme tout droit sorti d'une vieille légende britannique...

L'ex-inspecteur se redressa dans son fauteuil.

— Mais il ne s'agit que d'un chef d'entreprise, continua le milliardaire. Aux mœurs particulières, je vous l'accorde, mais tout cela est parfaitement accepté par la population.

— J'ai du mal à le croire, le coupa Kite. Cet homme vit en reclus dans son château, n'emploie personne de l'île, mutile les habitants un à un et vous me dites qu'il reste populaire ?

— C'est ainsi, soupira sir Grant. Blackbird est un endroit peuplé de légendes. Ce Wilfred le savait et en a profité pour être considéré auprès des enfants...

— Il vous vole toute autorité parentale... À vous aussi, n'est-ce pas ? Alice est-elle également fan de l'homme au masque de corbeau ?

Le milliardaire posa son cigare contre le cendrier. D'un coup, il parut fatigué. Il se passa la langue sur les lèvres, puis continua :

— Elle garde son libre arbitre, mais je ne vous cache

pas que cet homme parvient à la faire rêver... C'est ainsi... Beaucoup d'insulaires n'ont jamais quitté l'île de leur vie. Ils ne connaissent rien du monde et ne peuvent rien raconter à leurs enfants. Wilfred, à l'inverse, a roulé sa bosse dans tous les coins du monde avant de se poser sur Blackbird. Il charme les enfants avec les récits de ses voyages...

— Alice vous raconte-t-elle ses rencontres avec lui?

— Non. Rien ne doit filtrer. C'est une condition *sine qua non* du pacte passé avec les enfants.

Kite était médusé. Les parents de l'île considéraient Wilfred comme un animateur de colonie qu'ils rémunéraient d'un auriculaire de temps à autre. Il imaginait parfaitement l'homme vêtu de son masque et de sa cape derrière les murs épais de son château, accueillant les enfants de l'île, Alice en tête, et leur faisant réciter les brimades subies pendant la semaine. N'avait-il pas remarqué l'absence des enfants dans le village pendant le week-end? Le dimanche soir, le fou baissait le pont-levis et raccompagnait les enfants chez eux, puis s'arrêtait au pub où il trouvait les parents tous réunis pour les punir.

Et puis un jour, Wilfred dérape. Il organise une après-midi de tissage au château. Il demande à la petite Virginia de se déshabiller et de s'allonger sur une table pendant que ses camarades lui cousent des ailes dans le dos. Mais la fillette a mal, elle crie de douleur et le rire des bambins devient plus inquiétant, les sourires se figent, quelques yeux commencent à pleurer... Alors l'homme rajuste son masque de corbeau et déclare d'une façon grandiloquente que Virginia se lamente de ne pas pouvoir voler avec ses nouvelles ailes. Il faut l'emmener sur la lande et l'aider à monter sur la *Gull's Stone*. Elle se lancera ensuite et ira voler avec ses nouveaux amis, les goélands.

Kite délirait. Son imagination l'entraînait dans cette
étrange secte. Il n'avait même pas vu le château délabré
au nord de l'île, mais cela ne l'empêchait pas de détailler
chaque pièce. Il n'avait pas aperçu un seul enfant sur
l'île, à l'exception notable d'Alice, qu'il imaginait pourtant un groupe de gamins tout autour de cet homme.
Une question trottait dans son esprit : quelle distance
séparait la pierre et le château délabré ? Il s'en ouvrit à
son hôte.

— Ce n'est pas possible, répliqua-t-il sèchement, en
comprenant le sens caché de la question. Je vous répète
que Wilfred est inoffensif. Il ne ferait pas de mal à un
enfant. Je peux vous l'assurer...

Ils dînèrent en silence. Sir Grant s'excusa après avoir
terminé son thé et ses quelques *shortbreads*[1]. Kite se
retira au salon et ralluma son cigare. Il savait que cela ne
se faisait pas, mais il ne se sentait pas le droit d'en
prendre un nouveau dans l'humidificateur de son hôte.
Le milliardaire était déjà bien aimable de l'héberger. « Tu
te caches la vérité », ricana la petite voix alors que le bout
du havane devenait incandescent. « Il te garde pour que
tu mènes l'enquête... Il préfère t'avoir ici, claquemuré
dans cette demeure, prisonnier de l'île, plutôt que tu
ailles tout raconter à la police écossaise. »

Paul se rejeta en arrière. Sa gorge ne le chatouillait plus.
Pour que son bien-être fût total, il aurait fallu que cette
voix s'arrêtât et surtout qu'il trouvât la vérité. « Tu es dans
le coffre à jouets de sir Grant », continua-t-elle de souffler
alors que Kite luttait contre elle. « Il joue l'homme dépressif alors qu'il ne fait que se moquer de toi. Tu es comme
un enfant, il se comporte avec toi comme il aurait voulu
se comporter avec Alice... Il te séquestre ! »

1. Sablés au beurre.

La petite voix s'était transformée. Wilfred parlait dans sa tête. Ce n'était pas la première fois de la journée. Déjà, il avait eu l'impression de se délivrer des paroles dignes de Wilfred. « C'est parce que tu es comme lui. Tu ne fais plus confiance aux adultes, ils t'ont trop trahi. Wilfred semble leur vouer une haine féroce... Pendant ta dépression, n'éprouvais-tu pas un sentiment du même acabit ? » Une sueur glacée lui coula le long de la colonne vertébrale. Cela lui rappelait ses crises de somnambulisme trois ans auparavant, quand il s'identifiait au tueur en série. Il se rappela ce matin de décembre où il s'était réveillé dans le parc en face de chez lui, proche de l'hypothermie, une guitare posée à ses pieds. Il s'était levé en pleine nuit, endurant les pulsions du tueur qu'il traquait, s'identifiant à lui jusque dans son corps. Ne reproduisait-il pas ce même schéma avec l'homme au masque ? « Tu délires », siffla la voix. « Wilfred n'est pas un assassin. Ce n'est pas lui que tu cherches. » Kite sentit son estomac se contracter. En 97, il ne croyait pas chercher la personne qu'il ne retrouva qu'à la toute fin de l'histoire, quelques secondes seulement avant de frôler la mort.

Il ne devait pas ressasser ces souvenirs.

— Vous devez éviter de repenser à tout cela avant de vous sentir mieux dans votre tête, Mr. Kite, le serinait le psychiatre. Si cela vous vient à l'esprit et que vous ne vous sentez pas en état d'accueillir ces images, concentrez-vous sur un autre sujet...

Le moment était-il venu ? Depuis hier soir, Paul se sentait rasséréné. C'était un état qu'il n'avait plus connu depuis le début de son traitement médicamenteux, quand les neuroleptiques avaient commencé à faire effet. Cela n'avait duré qu'un temps. Le manque d'activité l'avait toujours empêché de reprendre le dessus. Cercle vicieux de la dépression : vous savez que pour retrouver le moral, il faut lutter contre la fatigue que votre mental vous impose. L'anorexie vous affaiblit, les perfusions vous agacent. Les gens viennent vous voir en clinique et détaillent votre corps qui s'amaigrit de jour en jour en vous murmurant des paroles pleines d'espoir auxquelles ils ne croient même plus. Michelle, Mary, Clément même, qui ne deviennent pour vous que de simples visiteurs, des ombres bruyantes qui pénètrent dans votre prison sans jamais chercher à vous en faire sortir. Vous les regardez souffrir quand les antidépresseurs cessent de faire trembler vos paupières, vous leur serrez le bras quand ils vous accordent un répit de quelques heures, rajoutant à la pitié que ces visiteurs devenus presque anonymes éprouvent déjà pour vous. Ne pouvant faire autrement que d'être égoïste, vous n'expliquez pas votre état, jaloux de leur autonomie. Semi-comateux, vous écoutez, les yeux fermés, les murmures autour du lit, la description que la famille fait de vos diverses expériences de guérison. L'électronarcose pour commencer, cette décharge électrique intense qui provoque une crise compulsive, et cette piqûre que l'on vous administre afin de calmer une angoisse indomptable. Vous imaginez déjà les dix séances à venir, ces dix calvaires que les autres vous feront revivre autour de votre lit, alors que vous ne gardez aucun souvenir de ce traitement.

La cure de sommeil ensuite, les vingt heures d'endormissement par jour, commandé par les gélules, nourri par des fils de plastique plantés dans votre bras couvert d'hématomes.

Et puis la photothérapie, ces heures passées enfermé dans une pièce sans fenêtre devant une lampe censée reproduire le spectre de la lumière du soleil et qui ne fait que vous brûler le visage. Après quelques expositions,

Kite avait demandé pourquoi on ne le sortait pas plutôt sur le balcon quand le soleil pointait un rayon. Les médecins avaient haussé les épaules et rallumé la lampe.

Et ce n'était que la partie émergée de son iceberg dépressif. Une fois revenu à la maison, quand le psychiatre vous annonce avec un sourire satisfait que votre traitement clinique est terminé, la lutte démarre vraiment, avec pour seule assistance la présence de vos proches. Il faut vivre avec sa dysphonie, priant pour qu'elle ne s'aggrave pas.

Chaque douleur vous paraît suspecte et vous fait envisager le pire. Un mal de tête se transforme immédiatement en tumeur maligne au cerveau, le moindre vomissement en cancer de l'estomac, la moindre constipation en occlusion intestinale, une petite irritation de la peau en zona... Même un petit accès de toux vous fait regretter d'avoir fumé une cigarette dans votre vie...

Perdu dans ses pensées, Kite ne s'aperçut même pas qu'Alice Grant, suivie de sa gouvernante, se tenait près de la porte du salon, le fixant avec insistance.

Paul se redressa dans son fauteuil et leur fit signe d'entrer.

— Je ne suis pas chez moi, bafouilla-t-il. Ne prenez pas la peine de...

— Laisse-nous! le coupa simplement Alice en regardant Judith.

La gouvernante s'éclipsa immédiatement, sans montrer le moindre signe de résistance. Elle salua Kite d'un geste de la main.

L'ex-inspecteur était à nouveau fasciné par la petite fille. Au moment de lâcher son ordre, les traits de son visage s'étaient durcis, donnant à ses yeux un éclat presque méchant.

Une fois sa gouvernante partie, son visage s'était à nouveau détendu. Ses yeux pétillaient d'espièglerie.

— Je veux vous faire un cadeau, Mr Kite, commença-t-elle en triturant dans ses mains un paquet emballé.

Il fit un pas vers elle.

— Ce sont des cigares, les mêmes que papa. Je les ai pris dans sa réserve, mais il ne s'en apercevra pas. Je n'ai pas pu vous acheter une grosse boîte comme lui. Il faudra faire sans.

— Tu es très gentille, Alice, fit Kite en prenant le paquet. Mais que me vaut ton présent ?

— Papa a l'air en forme depuis que vous êtes arrivé ici. Nous avons parlé tout à l'heure et il a fini par m'avouer que vous étiez détective. J'étais sûr que vous n'étiez pas flic : vous n'avez pas la dégaine des policiers de la télé.

La petite fille semblait lancée. Kite ne tenta rien pour l'arrêter. La fascination s'exerçait toujours. Les longs cheveux blonds, le visage angélique... Comment ne pas penser au personnage de Lewis Carroll quand on regardait Alice Grant ?

— Il m'a dit que vous deviez trouver pourquoi Virginia était morte. C'est un mystère pour nous tous. Aujourd'hui à l'école, on a fait des prières pour elle et on lui a écrit des lettres et des poèmes pour qu'elle guérisse plus vite. Les autres ne connaissent pas la vérité, mais papa me l'a dite. C'est dans le contrat entre nous : il ne doit plus me cacher de choses. Wilfred dit qu'un enfant à qui on cache des choses grandira plus vite que les autres. Vous connaissez Wilfred, Mr Kite ? Vous l'avez vu au pub hier soir...

Kite nota que la fille du milliardaire savait que sa camarade était bel et bien décédée. Sir Grant lui racontait tout comme si elle était une femme.

— C'est exact, répondit-il.

Il s'assit dans le fauteuil et déposa le paquet-cadeau sur

122

la table basse. Alice vint prendre place sur le pouf tout à côté.

— Comment l'avez-vous trouvé ? Je veux dire : vous a-t-il impressionné ?

Paul esquissa un sourire.

— J'ai trouvé le personnage très étrange, Alice. Son costume bien sûr, mais également ses manières...

— C'est que vous êtes un adulte, cracha Alice. Comme tous les adultes, vous ne comprenez rien à ce qui amuse les enfants. Wilfred est très bon avec nous. Il nous emmène dans sa distillerie et nous fait passer des journées extraordinaires...

— Virginia participait-elle à vos activités ?

— Oui, et c'est pour ça que je suis triste, bouda-t-elle. C'était une des plus volontaires, toujours prêtes à entrer dans la danse.

Elle tapota le genou de Paul.

— Voulez-vous faire un jeu avec moi ? demanda-t-elle dans un sourire.

— Lequel ?

— Celui du « donnant-donnant ». Nous y jouons souvent avec Wilfred. Il s'agit de poser des questions sur tous les sujets et on est obligé de dire la vérité. C'est comme ça que Wilfred nous apprend des choses sur le monde entier et que lui apprend des choses sur Black-bird.

Kite ne réfléchit pas longtemps avant de donner son accord. Il apprendrait certainement plus de choses de la bouche d'Alice qu'elle de la sienne. Il devait néanmoins rester sur ses gardes. La fillette semblait si maligne... Il ne devait pas la presser avec des questions sur Virginia et Wilfred.

— À toi de commencer, débuta-t-il.

— Raconte-moi la vie à Londres ! s'enthousiasmait-elle

déjà. On raconte que tous les bus sont rouges, là-bas, et qu'ils roulent l'un sur l'autre... On dit aussi qu'il y avait un groupe de musiciens si célèbres que les filles s'évanouissaient quand elles le voyaient...

Kite grimaça et répondit à Alice. Il détailla ses réponses juste assez pour qu'elle ne l'interrompît pas à chaque fin de phrase. Il ne s'attarda pas sur les Beatles : le sujet était devenu trop douloureux.

C'était à son tour de poser une question.

— Raconte-moi ta vie ici, l'incita Kite. Tes rapports avec Judith, Margaret et ton père...

Alice ne se fit pas prier. Un long monologue commença :

— Je ne passe que très peu de temps au manoir. Pendant la journée, je vais à l'école du village et en fin de semaine, je passe beaucoup de temps avec mes camarades. Papa ne voulait pas que j'apprenne toute seule ici les mêmes choses que les autres à l'extérieur. Et puis il estime à juste titre que les enfants de l'île sont de bonnes fréquentations. Judith est là pour me rendre la vie plus facile le soir. Elle veille à mon confort, car papa n'a pas toujours la possibilité de le faire.

Elle marqua une pause puis reprit. Kite trouvait qu'Alice avait certaines expressions propres au monde adulte. Quand elle parlait, elle ne faisait certainement pas ses onze ans.

— En fait, Judith ne sert pas à grand-chose. Je fais toujours mes devoirs toute seule et je n'ai pas besoin d'une personne qui regarde tout le temps par-dessus mon épaule. J'ai l'impression que papa la garde pour l'avoir près de lui.

Kite sentait venir l'allusion. Une possible liaison entre le riche propriétaire et la gouvernante de sa fille. Classique. Trop, peut-être. Alice commençait-elle à divaguer ?

— Ne me faites pas dire ce que je n'ai pas dit, reprit la fillette. Papa n'aimera jamais une autre femme que maman. Il me le répète souvent et j'ai tendance à le croire. Disons plutôt qu'il la conserve au manoir à des fins expérimentales.

— Je te demande pardon?

— Je n'ai pas ma langue dans ma poche, constata-t-elle, espiègle. Papa vit seul depuis la mort de maman. Je n'ai jamais connu ma mère, car elle est morte en couches. Elle manque beaucoup à papa et je suis sûre qu'il aurait préféré la garder en vie plutôt que de m'avoir... L'amour fait tourner la tête aux hommes...

Alice avait dit cela d'un ton ordinaire qui effraya Kite.

— Je ne veux pas dire que mon père ne m'aime pas, car je pense qu'il m'aime trop. En fait, il lui manque une présence féminine de son âge, une femme sur laquelle il pourrait s'appuyer, qu'il pourrait questionner sur plein de sujets. Margaret est trop vieille, alors il garde Judith.

Paul décelait une certaine retenue dans le discours de la fillette. Elle cachait quelque chose qui ne demandait pourtant qu'à sortir.

— Papa est obnubilé par les rapports entre l'homme et la femme. Il n'arrive pas à se faire une raison pour ma mère. Il passe ses journées dans le pavillon au fond du jardin à écrire des réflexions sur le sujet. Quelquefois il me fait peur... Il me sort des théories qu'une petite fille ne devrait pas entendre...

Kite se frotta les yeux. Ainsi donc sir Grant serait dépressif... Il n'avait pas de mal à le croire. N'avait-il pas décelé quelques signes lors de leurs entretiens? Ne l'avait-il pas considéré comme un frère de douleur? Mais ce qui l'intriguait le plus, c'était le détachement avec lequel Alice parlait de son père. Elle devisait comme un médecin parlant de son malade.

Ils continuèrent leurs échanges à bâtons rompus : Alice demanda à l'ex-inspecteur de lui parler de la « célèbre police anglaise dont Sherlock Holmes se moque tout le temps », des maladies du continent (Kite lui répondit que sur ce point il n'y avait aucune différence avec l'île) ainsi que de sa famille. Kite s'attarda sur l'histoire entre Mary et Clément, son ancien stagiaire. Une petite fille aurait été ébahie par une telle *love story*. Alice ne broncha pas, semblant même considérer le sujet comme insignifiant. Quant à Kite, il continua de creuser le sujet autour de sir Grant. Alice semblait bien prolixe, trop peut-être. Mentait-elle ? Cachait-elle la vérité ou bien l'enjolivait-elle pour tromper l'ex-inspecteur ? Elle en était capable. Une grande intelligence semblait émaner d'elle. Elle ne souffla néanmoins aucun mot sur l'obsession de son père. Kite se promit de la découvrir au plus vite. C'est en réunissant tous les éléments que sa quête de la vérité avancerait.

Leur premier achoppement apparut lorsqu'au détour d'une question, Paul Kite voulut en arriver à ses fins : qu'Alice lui livre quelques secrets sur l'homme au masque de corbeau.

— Wilfred n'a rien à voir avec les autres, commença-t-elle. Il est beaucoup moins...

Mais elle s'arrêta et posa la main sur sa bouche. En avait-elle trop dit ? Elle se reprit aussitôt. Son visage se durcit de nouveau.

— Je ne peux pas vous en dire plus, car je n'ai pas le droit de parler de Wilfred à un adulte.

— Tu vois bien que ton homme au masque édicte lui aussi des règles strictes, répliqua Kite, en plissant les yeux. Ne se comporte-t-il pas comme un adulte quand il vous ordonne le silence ?

Alice se leva. Les poings serrés, elle fit un pas vers Kite. Ses joues étaient toutes rouges.

— Tais-toi! siffla-t-elle. Je t'ai fait un cadeau et tu ne m'écoutes même pas.

Kite jubilait. Il ignorait pourquoi, mais il était ravi devant le courroux de la petite fille. Son visage pourpre, sa colère non contenue la rendaient plus fillette, infiniment moins menaçante. Il s'empara de la boîte et la tendit à Alice.

— Tu peux la reprendre si tu veux, lâcha-t-il. On ne m'achète pas comme cela. Est-ce Wilfred qui t'envoie pour m'offrir ces cigares? Tu devrais savoir que ce sont les adultes qui offrent des cadeaux aux enfants pour les faire taire et non l'inverse...

Alice trépignait. Elle respirait fort. Les narines de son nez mutin se dilataient.

— Je ne suis pas assez mesquine pour te la reprendre, brailla-t-elle. Tu n'as qu'à les fumer jusqu'au dernier! Adieu!

Sur ce, la petite fille s'éloigna en courant. Kite entendit ses pas dans l'escalier, mêlés aux sanglots.

Il devait s'approcher du château de Wilfred avant que la nuit ne recouvrît entièrement l'île.

Il se doutait bien qu'il ne pourrait y pénétrer ce soir, mais il voulait à tout prix se rendre sur les lieux. Ce serait un premier pas, une manière de s'approcher de Wilfred sans pour autant se confronter à lui. L'approcher à son insu pour mieux l'appréhender par la suite...

Voilà comment Kite justifiait cette promenade nocturne, alors qu'il longeait la côte vers le nord en direction du château. Il mettrait une vingtaine de minutes tout au plus. Il regardait bien où il mettait les pieds. Certaines falaises tombaient à pic. La pénombre ne facilitait pas son avancée.

Il parvint au château délabré comme le vent se calmait quelque peu. Tout autour de l'île, la tempête continuait de souffler. Kite se demanda si les communications entre la terre et Blackbird avaient été rétablies. Il devrait s'en assurer le lendemain matin. En attendant, il détourna son regard de la mer. Les oiseaux cessaient un à un leur vol pour venir se réfugier dans les niches de la falaise.

Il n'aperçut aucune lumière venant du château. Majestueusement posé au bord de la falaise, l'édifice était imposant. Flanquée de quatre tours dont trois étaient détruites, sa silhouette se découpait sur fond d'océan. Les pierres grises étaient pour la plupart recouvertes de mousse. Kite eut peine à croire que l'endroit était aménagé. On parlait du château « délabré ». Kite aurait pu ajouter « abandonné » à la liste des adjectifs.

Devant le pont-levis qui ne semblait pas se remonter, on avait tracé un chemin dans la lande sauvage probablement à coups de bâton pour écarter les herbes.

Wilfred était-il à l'intérieur ? Kite n'osait s'approcher plus près de peur qu'un système de surveillance ne signalât sa présence à l'habitant du château. Il resta interdit, puis décida de contourner l'édifice vers la droite.

Quelques spasmes abdominaux, très probablement causés par la peur, l'arrêtèrent quelques minutes. Sa conscience lui dictait de rebrousser chemin. Sa curiosité retrouvée lui ordonnait l'inverse.

Une étrange impression l'étreignit : la lande à droite du château avait été consciencieusement fauchée. Cela enlevait tout le cachet romantique de l'endroit. Ici, Kite retrouva le côté classique du jardin entourant la demeure de sir Grant. Il continua en observant les fenêtres sans vitre et les meurtrières du château. Aucun rai de lumière.

Cela n'étonna pas l'inspecteur. Wilfred s'était probablement fait construire un appartement dans les fondations du château, près des souterrains. Il était nettement plus au calme et cela ressemblait bien au personnage. Avec une telle demeure, il devait épater ses jeunes visiteurs.

On ne pouvait se glisser derrière le château. Le mur de pierre tombait à l'extrémité de la falaise. Kite fronça les sourcils. Si la roche venait à s'effriter, toute la façade nord tomberait à la mer, entraînant très vraisemblablement les installations de Wilfred.

Le vent reprit. En bas, les vagues fouettaient un débarcadère enclavé entre les rochers. Ce devait être par cette voie que Wilfred diffusait son whisky dans le reste du monde. Kite revint vers le pont-levis.

Devait-il pénétrer à l'intérieur du château? Le malaise revint, physique. Devait-il céder à ses anciennes pulsions ressurgies depuis quelques jours? N'allait-il pas au devant de grandes déconvenues, d'une nouvelle dépression? Qu'est-ce qui pouvait bien l'attirer dans cette recherche constante de la vérité derrière chaque mystère? Il se doutait bien qu'il vivrait plus posément en ne se posant pas de questions. « Mais dans le cas présent, tu te trompes! » se moqua la petite voix au timbre familier. « Sur Blackbird, tu te reconstruis en furetant à droite et à gauche. Tu es de ces hommes que l'inactivité détruit, Paul... Ne l'oublie jamais! »

Il se dirigea vers le pont-levis, en espérant passer la porte et avancer à l'intérieur de la cour.

Son trajet fut rapidement stoppé. À peine eut-il posé un pied sur la planche de bois vermoulue qu'une lourde herse tomba et vint se fracasser sur les pierres de la cour. L'accès au château délabré n'était plus possible.

Le bruit fit sursauter Kite. Il eut envie de hurler, mais se retint juste à temps pour ne pas abîmer son larynx. Et s'il avait couru? La herse l'aurait-elle transpercé de part en part?

Comment cela était-il possible? Un système de balancier avec le pont-levis? « Réfléchis bien avant de conclure de telles sornettes », se rabroua-t-il. « Tu n'es plus au

Moyen Âge. Tout cela se contrôle électroniquement. Wilfred, paisiblement installé dans son appartement, a suivi ta progression grâce à de minuscules caméras cachées entre les pierres du château et il n'a eu qu'à appuyer sur un bouton rouge pour faire tomber la herse ». L'explication fournie mécaniquement par son cerveau en ébullition satisfit Kite.

Il s'était trompé ! Le mégalomane n'était pas sir Grant mais Wilfred ! C'est lui qui guettait chaque pas de Kite sur l'île pour que l'ex-inspecteur ne mène pas à bien l'enquête ordonnée par le milliardaire. Ce fou devait avoir quelque chose d'énorme à se reprocher !

Son opinion était faite. Il devrait creuser le sujet de l'homme au masque de corbeau, même si personne sur l'île ne semblait enclin à l'aider. Cela ne servait à rien d'insister en ce lieu. La nuit était presque entièrement tombée et Kite ne distinguait plus grand-chose du paysage.

Il regagna la demeure de sir Grant alors que le ciel était noir, en priant pour ne pas entendre les sanglots de son hôte au moment de s'endormir.

8

Mardi 3 avril

Paul Kite avait fait des rêves peuplés de châteaux moyenâgeux, de herses branlantes et de pots d'huile bouillante déversés sur les pillards. Il s'était imaginé escaladant la façade de la demeure de Wilfred à l'aide d'une échelle quand, à mi-parcours, le bec du masque était apparu entre deux créneaux. Un ricanement sardonique s'était répandu dans la lande et Kite avait reçu sur la tête une pâte visqueuse et brûlante. Il s'était réveillé en sursaut. Son estomac le secouait violemment.

Le château délabré au nord de l'île ne cessait de l'obséder. Dans son rêve, un détail n'avait pu lui échapper... Cette fée virevoltante au-dessus de l'édifice, frôlant de ses ailes les quatre tours. Sur le visage de la petite Virginia, on pouvait apercevoir un sourire épanoui, un sourire rempli de bonheur. Au moment de se réveiller, Paul n'avait pas encore tracé la frontière entre son rêve et la réalité. Pour lui, Virginia pouvait bien voler, Wilfred l'avait abattu d'une flèche dans le dos, droit dans le cœur, elle s'était fracassée la colonne vertébrale contre la *Gull's Stone*... Quand il ouvrit ses paupières pour la première fois, il n'avait plus l'impression d'être sur Blackbird, une petite île au large de l'Écosse, mais plutôt dans un royaume magique, peuplé de monstres et de fées, où il se présentait comme le prince vaillant chargé par le seigneur des lieux de triompher du mal.

Tout cela, c'était avant que sa conscience reprît le dessus et ne lui rappelât sa véritable condition : le seigneur de l'île, un homme pathétique, cyclothymique, se laissant damner le pion par un autre seigneur, celui-là cynique, à la tête d'une horde d'enfants... Quant au prince vaillant, ce n'était qu'un dépressif sous traitement, dysphonique et nauséeux... Mais qui avait retrouvé une rage. Et c'était cela qui importait le plus.

Kite se lava rapidement sans même prendre de douche. Il se passa un gant humide sur le corps, s'attardant sur son estomac ballonné. Les parois de son ventre le lançaient par endroit. Il diagnostiqua une indigestion. Depuis deux jours, il mangeait trop. Quelques années auparavant, cela ne lui aurait pas fait peur. Mais depuis sa dépression, son estomac s'était réduit et il n'était pas habitué à ingérer une telle quantité d'aliments. Dorénavant, Kite se promit de faire attention.

Attablé pour le petit déjeuner, il refusa poliment l'assiette pourtant appétissante que lui apporta Margaret, préférant ne boire qu'une simple tasse de thé, sans lait. Il accepta les sandwiches de la domestique, mais précisa néanmoins qu'il rentrerait pour le déjeuner au manoir.

— Vous êtes souffrant, Mr Kite ? demanda la cuisinière en se retournant sur le pas de la porte.

Kite esquissa un sourire.

— Votre cuisine est succulente, Margaret. Je crois avoir abusé de vos talents.

Elle se contenta de répondre au sourire de l'invité, mais Kite l'entendit marmonner une fois dans le couloir. Il espéra ne pas avoir vexé la vieille femme.

Cette matinée du mardi allait être pour lui l'occasion de visiter l'école de Blackbird. C'était en effet l'objectif qu'il s'était fixé. Rencontrer les professeurs et les camarades de Virginia et Alice lui en apprendrait certainement beaucoup.

Avant de quitter le manoir, il glissa dans la poche de son sac à dos un des cigares que lui avait offerts la petite fille. Il n'expliquait pas ce prodige, mais depuis sa rencontre avec sir Grant, depuis que son hôte lui avait offert son premier havane, il n'éprouvait plus qu'un léger chatouillement dans la gorge. À moins que l'eau de Blackbird Spring ne fût véritablement miraculeuse...

L'impression que s'était forgée Paul Kite lors de son premier passage devant l'établissement scolaire changea du tout au tout lorsqu'il l'aperçut en cette matinée. Une bonne trentaine d'enfants de tous âges jouaient dans la cour de récréation, sous les regards attendris des professeurs, accoudés sous le préau. Le bâtiment était moderne et Kite se doutait que sir Grant devait en être l'instigateur. Une plaque apposée près du portail le lui confirma.

À la vue de cette marmaille s'amusant et ricanant dans cet espace, l'ex-inspecteur eut peine à croire qu'une de leurs petites camarades était décédée seulement deux jours plus tôt. Il est vrai que pour tous à l'exception d'Alice —, leur copine Virginia n'était que blessée et viendrait probablement rigoler de nouveau avec eux d'ici quelques jours.

La veille, avant de s'endormir, Kite s'était juré de passer chez le Dr Livingstone dans la journée pour examiner le cadavre. Mais ce matin, il s'était ravisé, appréhendant trop cette visite.

Il resta quelques minutes à observer les enfants. Il s'était placé de sorte qu'on ne pût le voir de la cour, ni même du préau. En se concentrant, il reconnut Alice, qui tournait sur elle-même au milieu d'une ronde. Kite se prit à sourire. Il se revoyait quelque dix ans en arrière, quand Mary jouait dans la cour de récréation et qu'il venait la chercher à la sortie de l'école pendant ses quelques jours de congés. Après tout, Alice semblait être une petite fille comme les autres... Un peu capricieuse, bien sûr, mais les enfants riches et trop gâtés par leurs parents ne le sont-ils pas ? En regardant la fille de sir Grant s'amuser comme une folle dans la cour, Paul se demanda si sa maladie ne l'avait pas définitivement privé de sa faculté d'appréhension.

— Messieurs, je ne saurais trop vous conseiller de suivre l'exemple de Paul Kite, avait bien insisté son instructeur, le jour des résultats du concours d'inspecteur. C'est à sa capacité de jugement qu'on reconnaît un bon flic. Vous n'aurez jamais le temps de tergiverser dans votre nouvelle fonction. Il faut apprendre à juger les événements et les personnes vite et bien.

Plus tard, alors que l'on sabrait le champagne, l'instructeur avait même chuchoté à son oreille qu'il le voyait très certainement faire une grande carrière au New Yard. Cela, c'était avant 1987 et sa première dépression, et surtout avant 1997.

Et si sa mélancolie lui faisait voir, inconsciemment, les gens en noir ? Et si, même en y mettant la meilleure volonté du monde, il ne pouvait jamais plus poser de couleurs sur les caractères et les paysages ?

« Alors tu n'auras plus qu'à déménager et à venir t'installer sur Blackbird », ricana la méchante voix de Wilfred.

Ne jamais partir avec des idées préconçues : voilà ce qui faisait sa force dans la police. Maintenant, il semblait vivre avec des tonnes de clichés dans la tête, des notions du bien et du mal qu'il n'aurait jamais soupçonnées.

Étaient-ce des réminiscences du traitement médical? Des paroles badines du psychiatre que le malade ingurgite comme des vérités inaliénables de son nouvel état d'esprit?

Il était sorti à la fois soulagé et ravagé de ses séances. Il devinait maintenant pourquoi.

Un coup de sifflet l'interrompit dans ses pensées. Un des professeurs, une jeune femme ravissante aux cheveux auburn, continuait de siffler par à-coups. À côté d'elle, son collègue masculin tenait un cageot rempli d'un côté de pommes vertes, de l'autre de pommes rouges. Les enfants cessèrent immédiatement leurs activités et se précipitèrent vers le préau.

— En rang! ordonna la jeune femme.

Les élèves, sans se bousculer le moins du monde, formèrent une parfaite file indienne. Alors, le professeur — ou la maîtresse, Kite l'ignorait encore — prit la parole.

— Il est dix heures. Voici votre pomme du matin. Les rouges vous sont offertes par sir Grant, les vertes par Wilfred. Avancez un par un vers Thomas pour la distribution. Vous aurez ensuite cinq minutes pour la manger. Les cours reprendront après.

Kite s'avança plus près de la cour, au risque de se découvrir. Avait-il bien saisi le discours de la jeune femme? Son hôte et l'homme au masque de corbeau se partageaient-ils également les en-cas des enfants de l'île? Il s'avança et se posta devant la porte. Il devait pénétrer à l'intérieur de l'école et il s'en voulut de ne pas avoir prévenu sir Grant. Le milliardaire devait être le patron de ces jeunes profs et lui aurait probablement facilité l'accès à l'établissement.

Avant de sonner, il fixa le cageot de pommes, alors que le dernier élève s'emparait d'un fruit. Tout un côté était à présent vide. Il ne restait plus que des pommes rouges : celles de sir Dwight Grant.

Stupéfait, Kite pressa le bouton. Il entendit une sonnerie retentir dans l'établissement, puis vit le regard du dénommé Thomas se poser sur lui, les sourcils froncés. L'homme posa son cageot à terre et traversa la cour de récréation, enjambant çà et là les élastiques et les cerceaux des gamins revenus jouer, tout en croquant leur pomme verte à pleines dents.

— C'est pour quoi? grinça le professeur sans même ouvrir la porte.

— Je suis Paul Kite, se présenta l'ex-inspecteur. Un ami de sir Grant. Il m'a chargé d'éclaircir les causes de l'accident de la petite...

— Nous avons été prévenus de votre visite, le coupa-t-il tout en ouvrant la porte. Je suis Thomas Derkemp. Suivez-moi, je vais vous conduire dans le bureau du directeur.

Kite remonta la cour de récréation sur les talons du professeur. Les enfants interrompaient leurs jeux au fur et à mesure de son avancée. Quelques secondes avant la porte cochère du bâtiment, Kite croisa le regard d'Alice. Il détourna aussitôt les yeux. « Sur cette île, ce sont les adultes qui baissent les yeux devant les enfants, pas l'inverse », sifflait Wilfred dans l'esprit de Paul. Il entendit les jeux reprendre dès qu'il s'engouffra dans l'étroit couloir bordé de salles de classe. De l'extérieur, il aurait imaginé différemment l'aménagement de l'école. On avait plutôt l'impression de pénétrer dans une prison que dans un établissement scolaire.

Thomas Derkemp ne prononça pas un mot pendant leur trajet. Sans même frapper, il ouvrit une porte garnie d'une sobre plaque : DIRECTEUR. Le bureau était vide. Le jeune professeur contourna le bureau, se laissa tomber dans un gros fauteuil de cuir, puis indiqua à Kite la place en vis-à-vis.

— Je vous écoute, Mr. Kite, soupira-t-il.

Paul était soufflé. Était-ce ce jeune homme le directeur de l'école? Cela en avait tout l'air. Il se risqua à le demander. Thomas Derkemp le confirma. Il semblait bien las. Sur le bureau dépouillé, seules quelques feuilles de papier traînaient. On y trouvait également une bouteille de *Bivill's* dix-sept ans d'âge dont il ne restait qu'un fond. Par réflexe, Kite détailla la texture des joues de son interlocuteur. Ses capillaires étaient bien dilatés. L'homme avait très probablement commencé la bouteille ce matin. C'était la raison de son état apathique. Quelques tics lui secouaient de temps à autre le visage. Il n'était pas aussi nerveux tout à l'heure sous le préau. La présence de l'ex-inspecteur devait le bouleverser. Il tendit la main vers la bouteille de whisky, mais se ravisa juste à temps. Quel âge pouvait-il bien avoir? Vingt-quatre, vingt-cinq ans? L'âge de Clément... Kite eut pitié du jeune homme. Un autre détail attira son attention : il n'y avait aucune fenêtre dans cette pièce.

— Je ne suis pas venu ici pour vous interroger, tenta de le rassurer l'ex-inspecteur. Je n'en ai aucunement le droit. Si je vous rends visite, c'est simplement pour que nous échangions quelques idées, et puis pour rencontrer les gosses, si vous n'y voyez pas d'inconvénients...

Derkemp secoua la main.

— Je n'ai pas beaucoup d'idées, Mr. Kite, et je risque de vous décevoir sur ce terrain. Vous savez, sur Blackbird il est très difficile de se faire sa propre idée...

Kite devait-il y déceler un reproche caché? Une marque de contestation? Ce serait bien la première fois qu'un insulaire protestait contre son quotidien.

— Vous êtes né sur l'île? demanda Paul.

— Non. Je ne fais pas partie des insulaires pure souche. J'y vis depuis bientôt un an. Sir Grant m'a recruté à Édimbourg où je dirigeais un institut pour enfants en difficultés. Je venais juste d'ouvrir cette structure grâce à un financement versé par Sean Connery en personne. Avant, j'étais caissier dans un cinéma et j'ai rencontré le bonhomme qui allait incognito voir son dernier film. Plus tard, il m'a fait rencontrer sir Grant, ce sont des amis intimes. Le milliardaire a flatté ma pédagogie pendant quelques heures, m'a offert un dîner bien arrosé au *Number One* et j'ai rejoint l'île trois mois plus tard avec mes collègues. Pendant ce temps, il avait fait construire cet établissement ultra-moderne...

Il embrassa la pièce du regard, puis ses yeux revinrent fixer la bouteille de *Pure Malt*.

— Nous sommes trois à diriger cette école, reprit-il. Je m'occupe de l'intendance et des cours de mathématiques et de sciences naturelles. Martha s'occupe des cours d'anglais et de français et Rosamund des cours d'éducation physique et sportive...

Le jeune homme avait envie de parler. Cela devait faire bien longtemps qu'il n'avait pas rencontré un étranger. Il reluquait toujours la bouteille et s'aperçut que Kite l'avait remarqué.

— Ne me jugez pas mal, Mr. Kite, fit-il dans une moue. Je ne suis pas un alcoolique. Simplement la disparition de Virginia m'a beaucoup affecté. C'était une très bonne élève, très appliquée. C'est vous qui l'avez découverte comateuse, n'est-ce pas ?

Kite se prit à mentir. Il hocha la tête. Ne devait-il pas jouer franc jeu devant le jeune homme ? Lui renvoyer la monnaie de sa pièce ? C'était risqué.

— Le docteur Livingstone ne veut pas que je lui rende visite. Pourtant ma voix pourrait l'aider à s'en sortir. Elle m'aimait beaucoup... Nous avions de très bons rapports...

Kite sentit qu'il était temps de changer de sujet, quitte à y revenir plus tard. Thomas était visiblement très ému.

— J'ai été abasourdi par la distribution de pommes, l'interrompit Paul. Tous les enfants ont préféré les pommes de Wilfred...

Le jeune professeur haussa les épaules.

— C'est à chaque fois la même chose. Les deux hommes nous livrent des pommes chacun de leur côté en demandant de laisser les enfants choisir. En fin de semaine, ils viennent faire les comptes. Inutile de vous préciser que sir Grant repart bouleversé... Il fait tant pour les enfants de l'île et les gamins le haïssent presque...

Il marqua une pause.

— C'est Wilfred qui les monte contre lui.

— J'en déduis que vous avez déjà rencontré l'homme au masque de corbeau, Mr. Derkemp. Comment est-il?

En posant cette question, Paul jeta un habile coup d'œil sur les auriculaires de son interlocuteur. Ils étaient tous deux en place.

— Ce n'est pas un bavard, lâcha Thomas. Il vient et me demande simplement si ses pommes ont eu du succès. Je lui répète à chaque fois la même chose et il se met à rire en brocardant sir Grant...

— Alice Grant aime les pommes, Mr. Derkemp?

La question de Kite désarçonna le jeune directeur. Il bafouilla un oui sans trop comprendre.

— Alors je ne m'explique pas son choix... continua l'ex-inspecteur du Yard. Elle a également mangé une pomme verte et non une rouge!

— Ce n'est pas étonnant, Mr. Kite. Alice est comme les autres. Elle voue une admiration sans bornes à Wilfred. Il fait rêver les enfants de l'île, contrairement à sir Grant qui incarne l'autorité parentale. Alice exerce une grande influence sur ses camarades de classe. Virginia est l'une de ses meilleures amies.

« Était » voulut corriger Kite. Mais il s'abstint.

— Les enfants la suivent dans ses choix. Si un jour elle choisit de croquer une pomme rouge, alors Wilfred aura perdu la partie pour cette fois-ci !

— Est-ce déjà arrivé ?

— Non. Jamais depuis son arrivée sur l'île...

— Et pourquoi acceptez-vous de distribuer les fruits de ce fou ? Il n'est pas votre employeur...

— Les enfants ne me le pardonneraient pas... Je n'ai pas envie de me les mettre à dos. Surtout la petite Alice.

— Quelle élève est-elle, à ce propos ?

Les questions fusaient, mais Thomas Derkemp semblait tenir le coup.

— C'est une jeune fille brillante. Elle raisonne avec beaucoup de logique. Peut-être trop quelquefois... Elle fait l'effet d'une gamine très froide en apparence, mais c'est plutôt l'éruption volcanique permanente dans son cerveau ! Il faut lire les rédactions qu'elle rend à Martha chaque semaine ! Des délires imaginatifs... Elle ne se contente pas de se glisser dans la peau d'un personnage comme la plupart de ses camarades... Elle en met en scène des dizaines, à la façon d'un romancier ! Quelquefois, ses copies font même froid dans le dos...

Kite fronça les sourcils.

— Serait-il possible d'en lire quelques-unes ?

— J'ai bien peur que non, grimaça Thomas. Alice les reprend à chaque fois. On m'a dit qu'elle les gardait dans un des coffres du manoir de son père de peur que les feuilles ne brûlent...

Kite hocha la tête. L'attitude de la fillette ne l'étonnait pas outre mesure. Elle prenait l'ascendant sur les enfants de l'île comme son père l'avait sur leurs parents.

Il se passa un long silence avant que Paul se décidât à reprendre la conversation.

— Pourrais-je discuter avec quelques-uns de vos élèves? Je saurai me montrer discret, n'ayez crainte.

Ce fut au tour de Thomas de hocher la tête.

— J'aimerais autant discuter avec les proches de Virginia, et ceux d'Alice, par la même occasion, précisa Kite.

— Avec elle, également?

— Non. Je l'ai déjà fait. Je loge au manoir.

Sans répondre, le jeune directeur se leva et sortit de la pièce sombre. Il revint quelques minutes plus tard en précisant que Martha se chargeait de convoquer les élèves.

— Je vais vous laisser mon bureau, soupira Thomas, fatigué par cette visite. Vous vous installerez dans mon fauteuil. Les élèves sont habitués à venir discuter avec moi. Nous nous entendons très bien. Vous ne serez pas intimidé...

Kite s'abstint de sourire. C'était le monde à l'envers! Sur Blackbird, on ne pouvait décemment pas concevoir qu'un enfant soit intimidé... On réservait ce sentiment aux seuls adultes! Soudain, l'ex-inspecteur se raidit. N'avait-il pas détourné les yeux devant Alice Grant en arrivant dans la cour, tout à l'heure?

Ils entendirent des bruits de pas dans le couloir. Martha passa sa tête dans l'entrebâillement de la porte.

— Thomas? Tu peux venir, s'il te plaît?

Sa visite posait-elle finalement un problème? Jusque-là, le directeur s'était montré très disponible. L'instinct de l'ex-inspecteur revint. Il lui dictait de venir écouter la conversation entre le directeur et sa collègue. Il se leva et colla son oreille contre la porte.

— Miss Alice s'oppose à la demande de cet homme, murmurait la voix féminine.

— C'est impossible! Fais comprendre à cette petite salope qu'elle ne fait pas la loi sur cette île!

— Lui non plus, je te ferai remarquer, se rebiffa Martha.

— Tu ne vas pas t'y mettre, toi aussi? Je commence à en avoir assez de tout ça!

Paul Kite n'en croyait pas ses oreilles. Thomas se présentait bien comme le rebelle de l'île. Le seul, très probablement, qui n'acceptât pas le diktat de Wilfred...

— Il vaut mieux lui dire de repasser plus tard, chuchota la jeune femme. Le temps que miss Alice se décide... Crois-moi, c'est préférable. La situation me pèse à moi aussi, mais tu sais que nous n'avons pas le choix.

Derkemp ne trouva rien à répondre.

— Et puis tu sais bien que c'est inutile. Les enfants ne lui apprendraient pas plus que ce que nous savons nous...

— Ce que Wilfred nous a appris, grinça le directeur.

— Écoute, le principal c'est que Virginia s'en sorte, n'est-ce pas? Sir Grant nous a demandé de collaborer avec lui, mais il ne nous a jamais donné l'autorisation de passer outre les désirs de sa fille. Le choix est vite fait. Demande-lui de revenir plus tard. Dis-lui que nous ne pouvons pas retarder l'entrée en classe des élèves.

La mâchoire de Paul se serra. Le complot devenait multiple, les jeunes professeurs ne savaient plus qui écouter... Qui représentait le pouvoir sur l'île? Les institutions politiques? Certainement pas... La police officielle? Encore moins... Si Kite tempérait cette situation en considérant sir Grant comme un homme tout à fait capable de remplir cette fonction, il apprenait coup sur coup que Wilfred, et surtout Alice Grant, onze ans, étaient également de la partie. Une joute s'était engagée depuis l'arrivée de l'homme au masque de corbeau, une lutte à coups de doigts sectionnés pour les adultes et de pommes multicolores pour les enfants.

Kite bouillonnait. Il ne put s'empêcher plus longtemps de tourner la poignée et de se retrouver nez à nez avec Martha et Thomas. Les deux jeunes professeurs restèrent ahuris pendant quelques secondes. Il n'en fallut pas plus à l'ex-inspecteur pour se faufiler entre eux et gagner la sortie.

Cette situation était insupportable. Il ne pouvait continuer à enquêter sur cette île où tout le monde jouait les faux-semblants. Une discussion sérieuse avec sir Grant s'imposait. Il lui préciserait bien qu'il ne deviendrait jamais une de ses énièmes marionnettes.

Derkemp et Martha ne tentèrent rien pour le retenir. Après tout, ne voulaient-ils pas qu'il quittât l'établissement?

Dans la cour, Kite tenta de fixer le portail, ne voulant pas croiser le regard d'un des enfants ou, pis encore, les yeux vainqueurs d'Alice. Mais la petite fille, accompagnée de quelques camarades, marcha calmement vers le portail et s'arrêta à sa droite. Un grand sourire s'étendait sur son visage. Les autres gamins l'imitèrent dans la seconde. Elle ne fixait pas Kite. Elle chuchotait avec ses amis. « Elle fomente un mauvais coup, elle complote contre toi... Elle se félicite d'avoir conquis un nouveau sbire... »

Kite avait peine à croire que cette mignonne petite fille ait autant d'influence sur ses professeurs. « Arrête ton cinéma, veux-tu? Tu divagues... » continuait la voix. « Elle est en train de réciter une comptine ou bien de dire du mal d'un garçon au bermuda trop court... »

Tout se mélangeait dans son esprit. Qui était-elle vraiment?

Au moment de pousser le portail de fer, il s'aperçut qu'il était sur l'île depuis bientôt six jours et qu'il ne connaissait toujours personne au-delà des apparences.

9

Paul Kite s'empressa de rejoindre le manoir. Il était tellement pressé qu'il ne suivit même pas la route serpentant sur la butte, coupant à travers les pelouses si bien entretenues. Il arriva en sueur et courut immédiatement à la cuisine où il trouva Margaret, qui s'activait inlassablement à ses fourneaux.

— Sir Grant, haleta-t-il. Où puis-je le trouver?

— Dans son bureau, répondit la vieille femme en s'essuyant le front. La deuxième porte à gauche après le salon.

L'ex-inspecteur marmonna un vague merci et se rua dans le couloir. Il repéra facilement la lourde porte en acajou et l'ouvrit sans même prendre la peine de frapper.

Sir Grant se tenait droit dans son fauteuil, derrière son bureau. Une multitude de papiers éparpillés devant lui, il signait les feuilles d'un parapheur que lui tendait Judith. Sa main tremblait. L'homme semblait exténué.

Kite lança un regard vers la gouvernante qui, même s'il n'était pas violent, ne laissait aucune équivoque sur son souhait de la voir déguerpir au plus vite. Elle ferma le dossier, puis s'enfuit au pas de course.

Paul se demanda s'il devait également aborder le sujet des allusions d'Alice sur Judith. L'état de son hôte le fit reporter cette discussion. Il avait hâte de savoir quelles pouvaient être ces expériences qu'il menait en la gardant près de lui. Mais la petite fille délirait peut-être... Le directeur de l'école n'avait-il pas insisté sur sa capacité à l'affabulation?

— J'ai très mal au ventre, Mr Kite, commença sir Dwight Grant. Une douleur atroce, qui me scie l'abdomen... Les médicaments de Livingstone calment la douleur pendant quelques heures tout au plus, mais ce n'est pas suffisant...

— Il vous faut consulter à Inverness, sir Grant, répondit Kite en se jetant sur le fauteuil. Votre mal peut empirer.

— Personne ne peut quitter l'île en ce moment. Même si je pouvais joindre un pilote de ma compagnie d'hélicoptère, je me refuserais à lui faire traverser le *Channel*. Et puis, je ne peux pas laisser Alice toute seule pendant si longtemps... S'ils m'hospitalisent, elle ne tiendra pas le choc.

Kite voulut répondre, mais se ravisa. Il devait néanmoins mener la conversation. La détresse de son interlocuteur l'avait empêché de diriger le débat.

— Je me suis rendu à l'école ce matin, s'imposa l'ex-inspecteur. J'ai discuté avec Thomas Derkemp. Ce jeune homme m'a fait l'effet d'être sensé... Peut-être un des premiers que je rencontre parmi la population de Blackbird.

— Je ne vais pas prétendre le contraire. Je l'ai choisi pour son sens du contact. Il sait parler aux jeunes avec franchise et sincérité. Il n'évite aucun sujet et ne fait pas la fine bouche pour aborder les problèmes graves liés à l'adolescence...

— Il m'a reçu dans son bureau...

Sir Grant plissa les yeux. Kite ne sut pas s'il éprouvait

une nouvelle douleur ou bien s'il se demandait où l'emmenait l'ex-inspecteur.

— Nous avons parlé ensemble, mais je n'ai pas pu voir un seul des gamins...

Le milliardaire se passa une main sur le visage.

— Ils étaient en cours?

— Non. Votre fille a refusé que je discute avec ses camarades.

La phrase avait claqué comme un coup de fouet.

— Je vous demande pardon?

— Vous avez parfaitement entendu, sir Grant. Alice s'est opposée à mon enquête. Derkemp n'a pas insisté. Devant moi, il considère votre fille comme une surdouée. Derrière les portes, il la traite de peste!

Paul avait adouci le terme pour ne pas porter de préjudice trop grave au jeune directeur, même s'il ne doutait pas qu'il aimerait tout autant fuir l'île plutôt que de continuer à professer sur Blackbird.

— Cela m'étonne de lui. C'est une personne très réfléchie. Il n'aurait jamais dit cela de sa meilleure élève.

— Peu importe, éluda-t-il. Expliquez-moi simplement pourquoi Alice est au courant de tout alors que seul Livingstone, les flics, vous et moi devions savoir la vérité à propos du cadavre? Pour que Wilfred l'apprenne? Parce que votre fille vous l'a demandé?

— Je n'ai jamais parlé de la mort de Virginia à Alice, bredouilla le milliardaire, visiblement désemparé.

Kite se leva d'un bond et frappa du poing sur la table. Sa respiration s'accéléra de nouveau.

— Assez de mensonges, à présent! Vous m'aviez certifié que vous feriez votre possible pour me faciliter la tâche, alors qu'en réalité vous parsemez mon chemin de pièges! J'en ai assez...

Sir Grant fixait le visage suintant de l'ex-inspecteur avec inquiétude. Il se rejeta dans son fauteuil et émit un long soupir.

— Pardonnez-moi, mais je ne peux hausser le ton comme vous le faites... Je souffre le martyre à cause de mon estomac. Je suis désolé...

Kite se sentit désarçonné.

— Il ne s'agit pas d'être à chaque fois désolé, sir Grant, reprit-il, plus bas. Dites-moi simplement si vous m'avez confié cette besogne pour que je découvre la vérité ou bien pour me surveiller de près?

Le milliardaire ne répondit rien. La douleur le défigurait quelquefois. Des veines saillaient sur son front, tandis qu'un rictus lui déformait la bouche. Kite détourna la tête pour trouver le courage de continuer. Il devait à tout prix savoir.

— Tout le monde a le même discours sur Blackbird Island, comme si on le leur avait dicté mot à mot. Plus j'avance et plus j'ai l'impression que Douglas, avec son histoire du loch Ness, est le moins fou... Qui dirige cette île, sir Grant? Vous? Wilfred? Ou pourquoi pas Alice, qui semble déjà contrôler ses petits camarades et ses professeurs?

Le milliardaire avala une grande bouffée d'air.

— Laissez ma fille en dehors de cette affaire, expira-t-il. Je suis la seule autorité de l'île, Mr Kite. Est-ce clair?

Il tenta de hausser le ton à son tour, mais le résultat fut pitoyable.

— Sans mes ennuis de santé, j'aurais moi-même mené ces investigations. Je vous ai délégué pour ce faire, car vous m'êtes apparu comme un homme raisonnable. C'est la qualité qui convient quand il s'agit d'appréhender mes compagnons d'île. Nous partageons beaucoup de choses, vous et moi.

— Vous ne pouvez pas continuer à me servir ce discours! Dites-moi la vérité sur Wilfred, sur le directeur de l'école...

— Ils sont innocents, souffla sir Grant.

— Il ne s'agit pas de cela, s'énerva Kite. Je ne les accuse pas, je voudrais simplement comprendre... C'est comme ça que *notre* enquête avancera.

Son hôte se redressa à grand-peine.

— Vous allez encore dire que je me répète, mais le dénommé Wilfred n'est pas méchant. Il ne ferait pas de mal à un enfant. Encore moins Thomas...

— Vous n'avez rien compris ! cracha Kite qui se foutait bien à présent de parler à un malade. Vous ne voulez jamais rien me dire ! Bientôt, vous affirmerez que je suis parano, puis fou... Si je le devenais, ce serait une bonne affaire, n'est-ce pas ? On se débarrasse définitivement du touriste en trop... On le pousse du haut de la falaise en disant qu'il se sera suicidé...

Paul ruminait la suite de ses propos.

— Vous ne m'imposerez pas votre diktat comme aux autres ! Je vais aller trouver ce Wilfred et lui faire cracher la vérité ! Faire ce que personne sur cette île n'a osé faire : se confronter à ce polichinelle !

— Reposez-vous, Mr Kite, chuchota sir Grant. Votre névrose est en train de reprendre le dessus.

— Je vous interdis ! hurla-t-il.

Il resta quelques secondes, fixant le visage malade du milliardaire, écumant de rage, puis tourna les talons et claqua la porte du bureau. Il devait sortir au plus vite de ce lieu maudit.

Il retrouva un semblant de calme en descendant vers la grille. Pourquoi s'était-il mis dans un état pareil ? Cette histoire de fée aux ailes gorgées de sang était-elle si importante pour lui ? « Tu sais bien que oui », fit la voix. « Tu es en train de te racheter, de revivre... »

Il avait laissé ses bagages dans sa chambre. Devait-il

rentrer au manoir ce soir? « Pas de panique! » lui souffla la voix. « Ce bon vieux Wilfred va t'inviter pour la nuit... » Il se concentra pour la faire taire.

Si le bon sens ne l'avait pas quitté depuis trois ans, il se serait précipité à la poste pour demander si la liaison avec la côte était enfin rétablie.

Mais il n'avait pas envie de le savoir. Pas envie d'appeler quelqu'un. Ni la police, ni même Michelle. Il voulait rencontrer de nouveau Wilfred, l'affronter les yeux dans les yeux, sans le masque. Comment devait-il procéder pour attirer l'attention de ce fou? Coller un parchemin contre un arbre? Faire passer le message par un émissaire, un enfant de l'île? Par Alice en personne? Ou bien venir le défier en se postant devant son château et en l'invectivant avec véhémence?

« Entraîne-toi à l'escrime avant cela... Il va te proposer un duel chevaleresque. Fleuret ou épée? À toi de choisir, Paul... » L'ex-inspecteur hurla alors qu'il sortait de la propriété de sir Grant. Son cri rauque imposa le respect à la petite voix.

Il usa plusieurs allumettes pour allumer le cigare empoché le matin. Le vent continuait de se déchaîner sur l'île, ne lui accordant aucun répit. Les bouffées de havane détendirent ses cordes vocales. Son cri de tout à l'heure pouvait mettre en péril des efforts de toute une année. Il ne se reconnaissait pas. C'était un grave écart de conduite. Demain, il ne pourrait très probablement plus parler.

Mais seul comptait l'instant présent. La fumée agit sur lui comme une drogue, le soulageant pendant quelque temps. Ses maux d'estomac s'étaient calmés, peu à peu. Il avait de nouveau faim. Il se félicita d'avoir accepté les sandwiches de Margaret, même s'il avait dans l'idée de déjeuner au manoir en compagnie de son hôte. Ce n'était plus d'actualité, à présent. Où allait-il bien pouvoir dormir ce soir?

Il s'arrêta près de la *Gull's Stone* pour prendre son repas. Tout en mastiquant le pain de mie et le savant mélange de la vieille cuisinière, il se demanda si le château délabré n'appartenait pas également au milliardaire... L'aurait-il loué ou bien vendu à l'homme au masque de corbeau sous la pression des enfants et l'insistance d'Alice? Le chemin que Kite devait emprunter pour s'y rendre, en passant par la célèbre pierre puis par la source, rallongeait considérablement le trajet. D'une porte de service du manoir jusqu'au château, il devait y avoir à peine un mile. «Alice n'a pas besoin de marcher beaucoup pour rejoindre sa garderie», railla l'ex-inspecteur.

Il devait absolument pénétrer dans l'enceinte du château. Hier, alors qu'il n'avait même pas cherché à s'introduire dans les lieux, une herse colossale s'était abattue, manquant le fendre en deux. Qu'allait-il lui arriver cet après-midi, s'il se postait devant l'édifice et appelait Wilfred hors de son antre? Il tentait de s'imaginer la scène et, comme toujours, des visions d'horreur lui apparurent : des flèches enflammées fondant sur lui, de gros cailloux catapultés se fracassant contre son crâne... Toute l'imagerie de l'attaque de châteaux forts lui revenait en mémoire. Il se prit même à sourire en s'imaginant commander les villageois de Blackbird armés d'un gros bélier destiné à pulvériser la porte, les aidant à manœuvrer cette arme redoutable.

Une fois son repas terminé, Paul fit le vide dans sa tête, ou tout du moins tenta de le faire. Il reprit sa marche vers le château de Wilfred, passant devant Blackbird Spring. Il ne manqua pas d'aller se désaltérer. Le cigare et la nourriture lui avaient asséché la gorge. Son larynx le brûlait. Il n'y pensa pas.

Sa montre indiquait deux heures de l'après-midi. Le château semblait encore plus imposant en plein jour qu'à la tombée de la nuit.

Personne aux alentours. Il s'approcha du pont-levis. Des chaînes le retenaient aux larges murs de pierre, mais Kite doutait de son efficacité. La lourde planche de bois ne devait pas se relever. Il s'approcha des douves. Une eau croupie montait jusqu'au milieu de la tranchée. Il se rappela la disposition de l'édifice. Les douves ne délimitaient le château que sur ses façades avant, gauche et droite. Derrière, le précipice interdisait tout accès. Il se concentra sur l'entrée.

La herse était relevée, mais nul doute que s'il faisait un pas de plus, elle tomberait de nouveau, lui bloquant le passage. Il devait se faire inviter au château. Ou bien ruser. C'était la seule solution.

Et d'ailleurs, Wilfred était-il présent en ce moment dans son antre ? Kite ferma les yeux pour se concentrer sur les sons provenant de l'édifice. Une distillerie, même installée dans les sous-sols d'un fort moyenâgeux, devait produire quelques bruits !

Mais seul le vent lui souffla dans les oreilles. Il ne se découragea pas pour autant.

« Ce serait une chance, si ce fou n'est pas là. Si tu parviens à entrer, tu t'autoriseras une fouille en règle ! Sur Blackbird, pas besoin de mandat de perquisition, n'est-ce pas ? »

Cette voix se donnant l'autorisation d'intervenir à tout

moment dans son esprit commençait à l'agacer prodigieusement. Il devait trouver un moyen de la faire taire.

« Allons... Ne te cache pas la vérité ! Tu sais bien que je vais disparaître quand tu m'auras trouvé et démasqué... »

C'était Wilfred. Même si le timbre changeait quelquefois, c'était bien la voix de l'homme au masque de corbeau, empreint de l'accent de sir Grant et mâtinée de ses propres inflexions.

Il repensa au film *Psychose* d'Hitchcock, un de ses préférés. Ne devenait-il pas aussi fou que Norman Bates ? La voix commençait à envahir son cerveau, puis ne se cantonnerait pas là et partirait à l'assaut de sa volonté. Alors, il deviendrait un autre, un second Wilfred, avec les mêmes velléités de pouvoir. Un despote de plus disputerait aux autres l'autorité de Blackbird Island.

Il chassa ces pensées en écrasant le cigare qu'il avait rallumé après son déjeuner. Le havane n'avait pas la même saveur et il préféra arrêter plutôt que de crapoter.

Le château le narguait. Les meurtrières étaient autant d'yeux plissés, narquois, qui le regardaient avec délectation en sachant pertinemment qu'il ne pourrait pas entrer.

Soudain, il entendit un sifflement. « Le même que celui de ce matin à l'école », nota-t-il. Martha menait-elle les enfants au château pour le goûter ? Kite ne voulait pas se cacher. Il resterait planté ici, devant le pont-levis. Si le groupe approchait, il se faufilerait avec eux, forcerait le passage même. Il marcherait sur les genoux au milieu des écoliers pour passer la herse, s'il le fallait. Wilfred ne ferait pas abattre les piques sur les enfants de Blackbird.

Mais personne ne vint et le sifflement étrange ne se répéta pas.

Tout semblait calme. Paul se tenait debout, seul, dans ce paysage dantesque. Puis le bruit revint. Ce n'était pas un sifflement, mais des crissements derrière lui, comme si quelque s'amusait à froisser méthodiquement l'herbe, les plantes et les buissons de la lande. Kite se retourna, tournant le dos au château. Il ne devinait pas d'où pouvait bien provenir ce bruit. Si Wilfred le guettait par une meurtrière, il devait se délecter du spectacle de cet individu chancelant, nerveux, irascible à l'extrême.

« Tu te fais des idées. Ton imagination déraille. Quelqu'un sain d'esprit n'entendrait rien de plus que le vent dans cet endroit désert. Toi, tu crois voir revenir Virginia, invisible, voletant et dansant autour de toi avec pour seul but de te narguer... »

Paul Kite s'arrêta net. Ses yeux avaient décelé une lueur sur un des créneaux de la seule tour intacte. Il fixa son regard en se maudissant de ne pas avoir pris ses jumelles.

Alors, la nuit tomba. Étrangement, le ciel s'obscurcit en une fraction de seconde et le paysage disparut sous une épaisse couche de gouache noire.

Il éprouva au niveau des vertèbres cervicales une violente douleur qui gagna rapidement son crâne. Cette éclipse inouïe était-elle le début d'une apocalypse? Le décor s'y prêtait tant...

« Ne prends pas tes rêves de fin de monde pour des réalités », ricana la petite voix de Wilfred. « Tu t'es évanoui, tout simplement! J'ai gagné! »

Le voile s'épaissit. Kite ne savait pas si la voix de l'homme au masque de corbeau était susurrée par ses méninges... Ou par le personnage, se tenant devant lui et le narguant les mains sur les hanches, le sourire en coin...

Se focalisant sur cette impression, il s'affaissa et sentit l'herbe froide lui fouetter le visage.

Où Alice instruit ses ouailles de la différence entre la confiture d'airelles et le sang

Megan, une grande et belle jeune fille de onze ans, arriva dans la salle du trône. C'était Alice qui en avait donné l'ordre après le déjeuner.

— Nous nous réunirons dans la salle du trône à une heure. Je siégerai pour régler l'embarras concernant Megan.

— Je ne viendrai pas, avait sifflé l'adolescente insolente lorsqu'elle avait appris la nouvelle.

— À une heure, s'était contentée de répéter Alice.

Megan avait campé sur ses positions et ne s'était pas présentée à l'heure dite. Alors Alice avait donné l'ordre à deux garçons robustes de la ramener par tous les moyens. Quand l'impertinente était arrivée dans la pièce, tout le monde l'avait suivie des yeux. Les deux garçons la traînaient sur le sol en la tenant par les cheveux. Elle avait cessé de crier et venait de sécher ses larmes.

— Relève-toi! ordonna Alice, confortablement assise sur son trône.

Megan mit quelques secondes à se redresser. Son visage ne portait plus les stigmates de la colère, ni même de la douleur. Elle se contentait de sourire. Un peu bêtement, jugea Alice.

— Tu vas te déshabiller, à présent.

L'autre voulut ouvrir la bouche, mais la petite fille blonde lui ordonna de se taire. Elle savait bien qu'elle devait s'exécuter d'elle-même. Elle préférait cela au déshabillage malhabile que ne manqueraient pas de lui infliger les deux garçons sur les ordres d'Alice. Ce qui la gênait, c'étaient tous ces regards braqués sur elle.

— Ma patience a des limites, s'agaça Alice.

Megan déboutonna sa robe et la fit passer par-dessus elle. Elle se retrouva vêtue simplement de ses socquettes blanches. Il faisait froid dans le château et elle pria seulement pour ne pas prendre froid.

Quelques murmures s'élevèrent dans son dos. Alice les fit cesser immédiatement.

— Si l'un d'entre vous vient à faire un commentaire désobligeant sur Megan, j'ordonne immédiatement sa mise au cachot.

Elle posa son regard sur le corps de la jeune fille. Elle s'étonna des seins déjà formés et de la toison pubienne fournie de l'adolescente, mais n'en dit rien. Ce qui l'énervait le plus, c'étaient ces quelques filets rouges coulant à l'intérieur de ses cuisses.

— Tu t'es mis de la confiture d'airelles partout sur les jambes, soupira Alice. Tu es répugnante. Je vais te sanctionner pour un tel manque de propreté.

— Ce n'est pas de la confiture, répliqua Megan. Je n'y peux rien. C'est apparu hier. Maman m'a dit de ne pas m'inquiéter, que c'était tout à fait normal chez une jeune fille.

Alice sourit posément.

— Je me suis renseignée auprès des autres filles et aucune d'entre elles n'a prétendu s'être réveillée comme toi avec du sang sur les cuisses. Tu mens pour cacher ta gourmandise. Mais ça ne trompe personne! Regarde ton ventre : tu as des bourrelets. C'est un signe qui en dit long sur tes vices.

Megan accusa le coup en silence. Elle s'était juré de ne pas pleurer pour ne pas faire plaisir à Alice. Mais à l'énoncé de ses problèmes de rondeurs, elle sentit les larmes lui monter aux yeux. Elle devait trouver une réponse pour ne pas éclater en sanglots.

— Peut-être attendent-elles des bébés? chuinta-t-elle. Maman m'a dit que ça ne coulait pas quand on attendait un bébé...

— Tu te moques de moi, à présent? la gourmanda Alice. Tu n'as aucune volonté pour résister aux bonbons, au chocolat et à la confiture... Je t'avais déjà fait cette réflexion.

— Je t'ai tout expliqué, fit l'adolescente, à bout de nerfs. C'est normal qu'une fille de mon âge saigne. Même maman saigne quelquefois. Aujourd'hui, c'est la période la plus difficile, mais ça va s'arrêter dans deux jours...

— Ta mère te ment! explosa Alice. Si c'était si important pour une jeune fille et que les garçons en soient exemptés, ma mère m'aurait laissé un mot pour m'en informer, car elle savait mon père ignorant à ce sujet. Je ne peux accepter ta version...

Le visage de Megan se contracta. À présent, elle grelottait et tenait sur ses jambes par miracle.

— Tu t'obstines à me mentir, alors que tu sais que je déteste ça, martela la fillette. Tu dis que ta mère saigne également... Je n'aurais pas de mal à conclure qu'elle aussi est trop attirée par les sucreries et la confiture... Son tour de taille tendrait à le démontrer...

Elle marqua une pause, en fixant toujours l'adolescente qui ne parlait plus tant ses dents s'entrechoquaient.

— Il me faut maintenant trouver un châtiment pour te punir.

La blondinette se tourna vers son audience.

— Je me repose sur vous... Est-ce que l'une ou l'un d'entre vous aurait une idée?

Alors, avant que Megan ne s'écroule pour de bon sur les pavés glacés de la grande salle, une voix de crécelle se fit entendre et cria:

— Qu'on lui coupe la tête!

10

Paul Kite se réveilla victime d'une nausée inouïe. Une impression diffuse d'humidité le fit frissonner. Il palpa son pantalon et s'aperçut qu'il était gorgé d'eau. Sa veste était également bien imbibée. Son visage reposait contre le sol froid et trempé. Où était-il ?

Ses yeux s'habituèrent peu à peu à la lumière de cette minuscule pièce. Tous ses sens étaient en éveil. Il tenta de se relever, mais n'y parvint pas. La douleur lui sciait l'estomac en deux. On eût dit qu'une multitude d'épées étaient plantées droites dans son abdomen. Il cherchait la lumière, mais ne trouva qu'un mince faisceau blanchâtre s'étendant sur une partie du plafond.

Il était bel et bien dans un cachot. Très probablement dans les geôles du château de Wilfred. « Cesse ce romantisme exacerbé ! Tu es revenu chez sir Grant, voilà tout ! Bolt t'a ramassé sur la lande après ton malaise et t'a reconduit dans ta chambre. Ne prends pas tes désirs pour la réalité. Tu n'entreras jamais dans son château ! »

Et cette foutue voix qui se rappelait à son bon souvenir pour venir le narguer, à peine sa conscience retrouvée... Kite respira tant qu'il pouvait pour reprendre confiance. À chaque inspiration, son torse se collait à la chemise humide, lui arrachant un rictus. Il se sentait tellement mal que cette scène lui semblait difficilement réelle. Ses maux de ventre étaient tels qu'il ne s'aperçut de sa migraine que plus tard. Il tâta son occiput et sentit juste au-dessus un hématome d'une taille impressionnante.

Ses pupilles maintenant dilatées à leur maximum le renseignèrent sur l'endroit. C'était une pièce minuscule dont les murs, le sol et le plafond étaient constitués de pavés de couleur sombre. L'air était saturé d'humidité. Le mur en face de lui comportait la seule ouverture de l'endroit : une petite fenêtre à hauteur d'homme recouverte d'un grillage aux mailles épaisses. S'il n'était pas étendu dans un cachot, l'endroit y ressemblait...

La petite voix devait se tromper. Paul Kite se trouvait bien dans le château de l'homme masqué. Sur la lande, il n'avait pas été victime d'un malaise, mais bien d'un coup derrière la tête. Par quel prodige ? Il n'avait aperçu personne avant son évanouissement...

« N'oublie pas que je suis un être magique, sorti tout droit d'une histoire fantastique pour adolescents », susurrait la voix de Wilfred.

L'ex-inspecteur secoua la tête pour la faire fuir. Sa migraine se réveilla de plus belle. Il avait l'impression de changer sans cesse de douleurs : tantôt une barre lui traversait le cerveau, tantôt une épée lui perçait l'estomac.

Péniblement, pendant un court instant de répit, il se mit sur ses pieds et parvint à s'agripper à la grille pour se relever. Le vent froid provenant du dehors lui gifla la face et il se mit à frissonner de plus belle. Comment pouvait-on en être réduit à cet état de douleur ? Il se rabroua aussitôt, alors qu'il cherchait la réponse à cette question. Comment parler de souffrance pour quelques grelottements et quelques maux viscéraux bénins ? C'était plus fort que lui : dans la peine, il se voyait toujours comme l'homme le plus exténué au monde, manquant de mourir à chaque respiration... Puis les images envahissaient son cortex : les cadavres atrocement mutilés de ses anciens « clients », celui de Virginia en tête de liste. Sutures à vif dans le dos d'une petite fille... « Combien sur l'échelle de la souffrance, Kite ? Ta maman, allongée sur un lit d'hôpital, atteinte dans sa chair d'un cancer généralisé... Quelle graduation sur l'échelle de la douleur, Paul ? Et le condamné à mort, l'aiguille dans le bras, la tête dans le prolongement du fusil ? Quel degré de détresse psychologique, monsieur le souffreteux ? »

Il ne se focalisa plus sur sa douleur, la chassant d'un revers de volonté.

Au-dehors, il faisait nuit noire. Par réflexe, Kite regarda sa montre. Le cadran était plein d'eau, mais elle fonctionnait encore et indiquait pas loin de onze heures. Il repéra facilement l'endroit et cela vint confirmer sa première impression. En contrebas, il aperçut le débarcadère situé derrière le château délabré. Il se trouvait bien à l'intérieur de l'antre de Wilfred. Qui avait bien pu l'assommer pour l'enfermer dans cette geôle ? L'homme déguisé en personne ? Un de ses sbires ? Des enfants, peut-être ?

La tempête déchirait l'océan en tous sens. Blackbird semblait être également la cible des éléments déchaînés.

Kite devait réfléchir à cette situation ubuesque. Enfermé tel un prince vaillant capturé par le méchant du royaume pour avoir tenté d'entrer sans arme sur son territoire. Wilfred ne coupait pas les cheveux en quatre.

Peu après qu'il se soit assis dans un coin à peu près sec du cachot, une lumière puissante l'aveugla d'un seul coup. Il sauta à la fenêtre alors que l'illumination cessait. La lumière blanche revint éclairer la pièce. Se penchant le plus possible, collant son visage contre la grille, Paul vit que le projecteur se situait en haut de la tour arrière droite. Lui se tenait dans le bas de la tour arrière gauche.

Il semblait clignoter en direction de la mer. Tel un phare...

Il perçut de nouveau la houle et les vagues. La douleur s'envola devant le spectacle qui s'offrait à lui. Un bateau secoué en tous sens s'approchait de l'embarcadère. C'était une folie de braver les éléments... Pour quelle urgence le bateau voulait-il accoster sur Blackbird, en pleine nuit de tempête, guidé par un projecteur clignotant?

« Il vient chercher mes bouteilles de whisky *Bivill's* afin d'inonder le marché écossais au plus vite... Tu ne savais pas? J'ai empoisonné l'alcool pour devenir le maître de l'Écosse entière... »

Kite voulut se cogner la tête contre la grille pour que la voix cessât enfin, mais il se ravisa au tout dernier moment. Depuis le matin, il ne pouvait plus avoir de pensées autonomes. Son cerveau lui servait directement les délires de l'homme au masque de corbeau.

Le spectacle du bateau fouetté par l'écume le fascinait. La connotation apocalyptique déjà tellement présente sur l'île devenait ici une seconde nature du paysage. Les vagues étaient si hautes, si fortes, que Paul s'attendait à voir le bateau se renverser à chaque tangage. C'était un bâtiment de taille moyenne, hésitant entre le navire de plaisance et le cargo. L'ex-inspecteur ne se rappela pas avoir déjà vu pareil type de navire.

Quelquefois, le vaisseau disparaissait derrière une vague ou bien une rafale de pluie. Il manœuvra pendant cinq bonnes minutes avant d'accoster dans la petite rade taillée à même les rochers, toujours guidé par le phare clignotant. Le navire ne trouva pas un si bon mouillage que cela, car le vent le faisait tanguer même à l'abri des fureurs de la mer.

Kite avait une place de choix dans ce cachot. Il n'était

pas loin de la rade et aucun détail ne lui échappait. Il vit parfaitement les deux marins sautant par-dessus bord et se démenant comme un seul homme sur l'embarcadère pour stabiliser le bateau. Un escalier façonné dans les roches descendait depuis le château. Les marches ressemblaient à celles menant à la petite crique de la Tête du corbeau chez sir Grant. Mais un couloir taillé à même la pierre semblait s'enfoncer droit dans la falaise. Kite en déduisit qu'il devait mener directement à la salle de stockage de la distillerie. Son opinion était faite : Wilfred avait installé sa fabrique d'alcool sous les fondations du château. Cela avait dû être un gros chantier... Étrange que les habitants de l'île, sir Grant en tête, ne se soient pas rendu compte de l'arrivée des ouvriers, de la livraison des matériaux...

« Peut-être mon château regorge-t-il de coins, de recoins, d'oubliettes, de souterrains et de salles secrètes, Kite ! Qu'en sais-tu ? Tu ne connais rien de mon antre... Seulement ce cachot dégueulasse... »

Il ne fit pas attention, se concentrant uniquement sur l'embarcadère. Le bateau était maintenant stabilisé et ne tanguait que très peu. Il s'attendait à voir sortir des employés du tunnel pour venir charger les caisses. Mais pourquoi faire venir un bateau dans ces conditions atmosphériques dantesques ? Wilfred ne pouvait-il pas attendre un jour de plus ? Ou bien effectuer ce transport de jour, tout simplement ?

Rien ne se passa comme prévu. Sous les yeux d'un Kite incrédule, ce furent les hommes du navire qui débarquèrent des caisses pour les emporter ensuite au château en empruntant le tunnel. L'ex-inspecteur ne comprenait rien à ce manège... Pourquoi Wilfred se faisait-il livrer du whisky ? Une bouteille était dessinée sur les caisses en bois, ce qui ne voulait pas forcément dire qu'elles conte-naient du whisky... Comme pour plonger un peu plus Kite dans l'ignorance, l'une d'entre elles échappa à l'un des hommes et se brisa sur le sol. Un bruit de verre brisé résonna jusqu'aux oreilles de Kite et il vit qu'un liquide se répandait à l'endroit de l'accident.

Kite recula de la fenêtre pour revenir s'asseoir quel-ques instants et faire le point. Il fallait se rendre à l'évi-dence : le bateau était venu pour livrer du whisky et non pour en charger ! Quel était encore ce mystère ?

L'ex-inspecteur se prit à sourire. Décidément, tout semblait fonctionner à l'envers, sur Blackbird Island... Son esprit absorbé par l'arrivée du bateau, il ne ressentait plus ses douleurs. Elles se ravivèrent aussitôt qu'il s'assit. La curiosité fut la plus forte. Pourquoi se priver d'un tel spectacle ? Il ignorait encore sa durée de détention... Il aurait bien assez le temps de faire son introspection.

Les hommes finirent de décharger le bateau. Ils ne tar-dèrent pas à partir. La mer ne s'était pas calmée et Kite pria pour qu'ils n'aient aucun mal à quitter la rade. Le plus courageux des marins défit les amarres et sauta sur le bateau qui se remit à tanguer de plus belle. La manœuvre allait s'avérer des plus délicates et Paul regarda ce spectacle prodigieux avec appréhension. Il s'imaginait le marin dans la cabine, les voyants clignotant devant ses yeux, la lueur du phare dans son dos, tenter de tenir le cap, de faufiler son embarcation entre les vagues, les mains accrochées à la barre.

Le bateau sortit enfin et s'engagea dans la mer démon-tée. Il continua son chemin et Kite les crut sortis d'affaire.

La vague déferla sur le navire alors qu'il atteignait l'horizon visuel du prisonnier. Une lame immense, écumeuse qui engloutit le bateau pendant quelques secondes. Il sentit son cœur se serrer. Quelle folie! Wilfred devait peu se soucier de ses employés pour ordonner une telle expédition... Il se rappela une parole de sir Grant. Le milliardaire, à l'inverse du fou déguisé, se refusait à faire venir un hélicoptère de sa propre compagnie, même pour des raisons de santé! À des fins mercantiles, Wilfred mettait en péril la vie de quatre marins.

Des vies qui s'achevèrent. Les vagues étaient maintenant toutes de la même taille. Trop grandes pour l'homme, lames fatales pour le navire... L'embarcation fut engloutie par l'océan devant les yeux de Paul qui serra les barreaux de rage. Dans le lointain, il entendit crépiter les éclairs. Le vent lui gifla la face pour lui rappeler la réalité du moment.

« Qu'est-ce que cela fait d'être, une fois de plus, impuissant devant la mort des autres, Kite? »

Le bateau avait bel et bien sombré. Ce n'était pas un simple effet d'optique. Le navire n'était pas entré dans une nappe de brume ou bien dans l'obscurité du large. La mer l'avait englouti.

Quand il revint s'asseoir, il eut envie de crier, mais sa gorge lui fit terriblement mal. Il s'abstint. Sur ses doigts, on pouvait voir les marques de la grille.

L'homme masqué n'avait pas dû s'émouvoir du destin de ses marins. Peut-être cela l'avait-il même arrangé? Les témoins de cette étrange livraison nocturne n'étaient plus. Hébété, il se laissa aller sur le côté et maudit encore un peu plus Wilfred. Il ne perdait rien pour attendre.

Une heure passa avant qu'un bruit ne vînt tirer Kite de sa torpeur. Un bruit de pas. D'un seul coup, il se redressa et un sentiment de claustrophobie l'étreignit. La pièce dans laquelle il se trouvait ne comportait pas de porte.

Traînant les pieds, il se rapprocha du mur et fit le tour de la pièce. Son impression se confirma : il se trouvait dans un cube clos.

Pourtant, le bruit se rapprochait. Il résonnait de plus en plus fort. Paul s'arrêta et leva la tête pour tenter de localiser la provenance de ces pas. En dessous. Il eut l'impression qu'une personne s'approchait. Il se pencha vers le sol. La lune éclairait une partie de la cellule, mais c'est dans un angle sombre que Kite trouva la trappe. On pénétrait dans cette geôle par le sol !

Les pas s'arrêtèrent juste en dessous. L'ex-inspecteur du Yard se recula et vint se poster contre le mur d'en face. La trappe s'ouvrit brusquement et une chevelure rousse bouclée fit son apparition, suivie immédiatement d'un masque qu'il reconnut sur le champ. Wilfred en personne venait le chercher. Il ne se rappelait néanmoins pas cette couleur auburn.

— Suivez-moi, Mr Kite. Et ne tentez rien. Nous vous avons à l'œil.

Ce n'était pas la voix de Wilfred. Et pour cause ! Il l'entendait jour et nuit dans sa tête... C'était un timbre plus aigu, une voix masculine mais moins assurée, moins mature... « Une voix d'adolescent en train de muer », se dit Kite.

Il remarqua qu'il reprenait possession de ses pensées, mais n'eut pas le temps de s'attarder davantage sur ce nouvel état de fait. La confrontation avec Wilfred se rapprochait. C'était maintenant chacun pour soi.

Il se dirigea vers la trappe sans un mot, se retourna et posa le pied sur les premiers barreaux de l'échelle.

— Vous allez descendre gentiment à terre, puis vous me précéderez dans le couloir. N'oubliez pas de vous baisser. Ce boyau est bas de plafond.

Kite hésitait entre le soulagement et l'inquiétude.

Était-ce une bonne chose de sortir de cette cellule? Oui, si on ne l'emmenait pas dans un endroit plus terrifiant encore... Qui allait-il rejoindre? Et qui était ce personnage juvénile aux allures de Wilfred? Il devait se répéter qu'il était dans la réalité pour s'en convaincre. Sur une île écossaise, régie par les lois britanniques, on enfermait les gens curieux dans des cellules dont les geôliers étaient déguisés en Robin des Bois d'opérette.

Il posa pied à terre à peine cinq échelons descendus. Son cou et sa tête dépassaient toujours de la trappe. Il dut se baisser. Le couloir qui s'ouvrait devant lui était étroit. La torche tenue par l'adolescent masqué dans son dos éclairait seulement quelques mètres devant lui.

— Avancez à présent, Mr Kite.

Paul s'exécuta, obligé de courber le dos pour progresser. Son geôlier, lui, se tenait droit. Il s'agissait très probablement d'un gamin.

— Nous avons eu beaucoup de mal à vous assommer cet après-midi, Mr Kite. Sans les philtres magiques de Wilfred, vous seriez probablement encore dehors à fureter partout...

L'adolescent avait dit cela avec une telle morgue qu'il ne sut pas quoi répondre. Il se contenta d'accélérer son rythme de marche.

Le boyau ne semblait pas avoir de fin. Kite marchait droit vers l'inconnu. Son esprit était en roue libre, il imaginait la pièce dans laquelle il allait déboucher, puis l'effaçait instantanément pour en dessiner une autre.

— Vous vous tiendrez tranquille, lâchait souvent le disciple de Wilfred qui le suivait pas à pas.

L'ex-inspecteur voulut lui demander où ils se rendaient, mais la question s'étouffa dans sa gorge et un bruit de glaire s'échappa à sa place. Ce qu'il redoutait était en train d'arriver. Son cri, ce midi, et l'humidité de la cellule avaient provoqué l'infection de son larynx, resté très fragile depuis l'opération. Il devrait déployer des efforts incommensurables pour prononcer un mot. Il se réserva pour plus tard. Ce subalterne n'en valait pas la peine.

Enfin, Kite vit le bout du couloir. Ils débouchèrent dans une pièce à l'ameublement sommaire qui faisait penser à une salle de garde. Il remarqua un râtelier où étaient disposées une dizaine de hallebardes.

— Je vais vous laisser à présent, articula bien le gamin au masque de corbeau. Quand vous vous sentirez assez courageux pour rencontrer Wilfred, vous pousserez cette porte.

Il désigna deux lourds battants en bois encastrés dans le mur devant eux.

— Il vous attend dans la salle du trône. Je vous répète qu'il faut vous tenir tranquille quand vous serez en face de lui. Il sera entouré de ses gardes. Au moindre mauvais tour, nous n'hésiterons pas à vous transpercer la panse aussi sûrement qu'à un mouton que l'on s'apprête à faire rôtir...

L'ex-inspecteur approuva.

— Vous m'avez bien compris? continua la réplique miniature de Wilfred. Je vais sortir et vous, vous resterez dans cette pièce jusqu'à ce que vous ayez maîtrisé les battements de votre cœur. Ensuite vous rejoindrez la grande salle, où le seigneur du château vous accueillera. N'oubliez pas de vous courber devant lui.

Sur quoi, le gamin se retira par une petite porte à sa taille, tenant fièrement sa torche devant lui.

Le mobilier parut subitement étrange aux yeux de l'ex-inspecteur du Yard. Il était... plus petit! Oui, il n'était pas à la taille des adultes ou des petits enfants, mais plutôt à celle d'adolescents. Kite n'avait jamais vu cela. En général, on ne trouvait pas de format vraiment intermédiaire entre du mobilier enfant et du mobilier adulte. Wilfred en avait fait construire sur mesure... Jusqu'aux portes et aux couloirs de son château... Les gamins avaient ainsi l'illusion d'évoluer dans un endroit à leur taille. Dans cet édifice, tout était conçu pour handicaper les adultes...

« L'inverse de la vie quotidienne d'un enfant plongeant dans l'adolescence », pensa Kite. « Fais pas ci, touche pas à ça, tu verras ça quand tu seras grand, tu es trop petit, c'est trop loin pour toi, c'est trop épais pour tenir dans ta main... »

Paul s'approcha de la grande porte en bois. Aucun son ne filtrait à travers. Wilfred l'attendait-il vraiment dans sa salle du trône ? Cela lui semblait si irréel... Mais cela correspondait si bien au personnage...

Ne tenant plus, il poussa un des battants, qui s'ouvrit dans un grincement.

Aussitôt, avant même qu'il eût embrassé la pièce du regard, une voix qu'il aurait reconnue entre mille retentit :

— Bonsoir, Kite. Avance-toi.

Sa migraine reprit lorsqu'il pénétra dans la salle du trône. À son extrémité, devant un grand vitrail, était assis Wilfred, vêtu de la même cape et du même masque que l'autre soir. Il se tenait bien droit, le dos collé contre le feutre rouge de son trône. Des deux côtés de la salle au plafond ogival se tenaient les disciples de Wilfred, les enfants de l'île très probablement, échappant à la surveillance de leurs parents chaque soir pour rejoindre la demeure de leur idole. Ou mieux encore : retrouvant Wilfred avec le consentement de leurs pères et de leurs mères. On ne pouvait distinguer leurs visages. Ils s'étaient tous réfugiés derrière des masques identiques à celui de leur mentor. Des masques prolongés par un nez de corbeau. Leurs déguisements ne s'arrêtaient pas là. Les gamins portaient tous des capes aux couleurs tantôt sombres, tantôt chatoyantes. Leur assemblée devait ressembler à un kaléidoscope quand le vent soufflait sous leurs vêtements. En attendant, ils se tenaient tous immobiles, le regard tourné vers l'intrus. L'ex-inspecteur reconnut l'adolescent qui était venu le chercher dans sa cellule. Il était le plus grand et le plus baraqué de l'assistance.

Kite frissonna et s'avança vers le seigneur du château. Arrivé devant lui, il se raidit, montrant dans cette attitude outrancière qu'il ne se courberait pas devant ce fou masqué. Les enfants piaillèrent pendant quelques secondes. D'un revers de main, Wilfred les fit taire.

— Tu es très courageux de te mesurer à moi de la sorte. Tu sais que l'on doit allégeance au seigneur du lieu où l'on s'arrête...

— Cette île ne vous appartient pas, lâcha Kite.

Sa voix était faible, presque inaudible. Il se racla la gorge. Une violente douleur résonna tout le long de sa trachée.

— Si j'étais homme à me prosterner, ce serait à Buckingham Palace et nulle part ailleurs.

Wilfred ricana. Les enfants l'imitèrent aussitôt. Kite se retint pour ne pas courir vers les gosses et arracher leur masque, leur fiche un bon coup de pied au derrière et leur dire de retourner chez eux.

« Idiot ! C'est trop facile de t'attaquer aux enfants », se rabroua-t-il. « Mais tu ferais bien mieux d'enlever le masque de Wilfred... Tu le démystifierais d'un seul coup ! Je parie que certains gosses pensent que le masque est son véritable visage... »

— Tu n'es pas un homme pusillanime... J'aime ça. Cela va m'égayer.

La voix de l'homme masqué semblait fatiguée. Si son

169

dos restait collé au dossier, ses fesses remuaient sur le siège. Cachait-il une certaine nervosité? Kite se plut à le penser.

— Sir Grant ne m'amuse plus, continua-t-il. Il semble mal en point en ce moment. Ce n'est plus un ennemi à ma taille. J'ai l'impression de remporter chaque jour une victoire trop facile.

— Je n'ai aucune velléité de puissance sur cette île maudite, cracha Kite. Je suis venu ici en touriste, rien de plus.

— C'est faux! s'énerva Wilfred. Tu es un détective privé. Je me suis renseigné sur toi. Tu as démissionné du Yard après une grave dépression nerveuse. Tu es venu sur cette île pour te mesurer à moi, car ta maladie t'a rendu fou...

Kite sentit monter en lui une haine incontrôlable.

— Vous n'êtes qu'une crevure, lança-t-il, le plus fort possible. Vous me traitez de fou, alors que vous entretenez l'imaginaire de pauvres gamins avec des capes, des masques et des châteaux d'opérette... Vous croyez leur rendre service, mais vous ne faites que les troubler... Ces gamins seront tous déstabilisés à l'âge adulte et...

— Assez de billevesées! coupa Wilfred. Tu m'outrages devant mes disciples. Ce n'est pas tenable! Je te prie de quitter l'île le plus vite possible...

Les enfants marmonnèrent quelque chose. Kite n'était pas rassuré.

— Qui est le plus fou de nous deux? demanda-t-il, profitant de la pause de Wilfred. Vous mutilez sans vergogne les adultes de Blackbird, vous me kidnappez... Vous tuez, même: Le bateau livrant votre whisky a sombré en repartant. Alors? Les enfants vous trouvent toujours aussi gentil, à présent?

Wilfred sembla accuser le coup. Il resta muet. Mais ses

jeunes disciples n'avaient pas écouté la réplique de Kite. Ils chuchotaient dans leur coin. Soudain ils s'interrompirent et l'un d'eux lança dans la salle :

— Un duel! Un duel!

Aussitôt, les autres reprirent en chœur :

— Un duel! Un duel!

Wilfred se leva péniblement et les laissa brailler encore quelques secondes. Puis d'un geste il les fit taire.

— Mr Kite ne veut pas partir de l'île et m'a manqué de respect. Par là, il vous a aussi manqué de respect à tous. Il fait partie de ces adultes déplorables qui ne comprennent rien à l'enfance après en être sorti. Vous êtes des disciples de Wilfred, lui est un disciple de sir Grant!

Les enfants conspuèrent Kite.

— Vous en appelez aux armes et je vous rejoins.

La trentaine de gosses poussa des hourrahs.

— Armurier! appela l'homme masqué sous le regard médusé de Paul qui vit l'un d'entre eux s'avancer. Tu vas aiguiser mon épée, ainsi qu'une autre pour Mr Kite, et nous les apporter.

Le gamin, très probablement un garçon, approuva et sortit de la salle en courant.

— Je ne participerai pas à votre duel ridicule, fit l'ex-inspecteur que chaque parole usait. Je n'entrerai pas dans vos jeux débiles de chevalier.

Mais il savait que ses phrases tombaient dans l'oreille de ces enfants sourds à toute autre parole adulte qu'à celle de Wilfred. Kite eut l'impression confuse que l'homme masqué livrait là son baroud d'honneur devant eux, qu'il offrait à ses jeunes disciples ce dernier acte de courage comme une sorte de testament.

— Alors il te tranchera la tête et nous l'empalerons sur le rocher du Corbeau, lança une fillette de sa voix toute

171

gracieuse. Les navigateurs fixeront le roc en forme de bec avec effroi, car tu rouleras les yeux même après ta mort !

Les enfants semblaient émerveillés par une telle perspective. Kite se tut et se contenta de fixer son adversaire. Ce dernier s'était rassis sur son trône et les observait.

— Ne comptez pas sur moi pour un combat au premier sang, Mr Kite, lâcha Wilfred dans un soupir que Paul jugea sans conviction. Le perdant de cet affrontement sera mort. Ainsi en ont décidé mes disciples.

Paul fit semblant de ne pas avoir entendu et resta planté dos au trône jusqu'à ce que le gosse chargé de l'armurerie revienne avec deux épées.

L'ex-inspecteur ne s'étonnait même plus de la situation, car il y avait une certaine cohésion entre les événements, si l'on voulait bien entrer dans l'univers fantasmagorique de l'homme masqué. Dans le château tout était fait pour que les enfants à l'imaginaire si débordant se sentent transportés chaque fois qu'ils franchissaient le pont-levis.

Wilfred saisit une épée et l'armurier tendit l'autre à Kite.

— Formez un cercle au milieu de la salle, ordonna l'homme masqué en se levant de son trône. Vous voyez le rayon de lune sur le sol ? Nous commencerons le combat dans son alignement. Je lui ferai face et mon adversaire lui tournera le dos. Disposez-vous tout autour...

Les enfants se pressèrent au milieu de la salle. Leurs capes voletaient autour d'eux. Cela donnait un peu de gaieté à cet endroit lugubre. Mais Kite devait se concentrer, à présent. Jusqu'au bout, il avait cru que Wilfred userait d'un subterfuge pour éviter le combat, mais il fallait bien se rendre à l'évidence : son ennemi avait la ferme intention de croiser le fer dans la plus grande tradition des joutes seigneuriales.

— Voulez-vous vous débarrasser de votre veste, Mr Kite? demanda Wilfred.

— Non, grinça-t-il. Je combats toujours avec mes couleurs.

— Moi aussi. Prenez place et brandissez votre épée haut.

L'ex-inspecteur s'avança dans le rayon de lune.

— Je préfère la porter bas, répliqua Kite, qui avait lui aussi décidé de jouer le jeu. Ainsi je vous laisserai la première attaque.

Que pouvait-il faire d'autre? Wilfred avait l'air vraiment dérangé. Il l'avait kidnappé, il avait fait venir des hommes dans la tempête... Il était bien capable de lui trancher la tête dans une réplique de duel sortie tout droit d'un film de cape et d'épée. Il fallait livrer ce combat.

L'homme masqué n'avait pas apprécié la pique de son adversaire. Il bougonnait, massant le pommeau de son épée. La silhouette portant cape et masque, brandissant l'arme, fit presque frissonner Kite. Des gouttes de sueur commencèrent à perler sur son visage. Quand la première d'entre elles toucha le sol, Wilfred s'élança en criant. Les enfants hurlèrent de plaisir.

Kite esquiva le coup en se baissant. Il fallait retourner le combat en sa faveur, faire trébucher ce fou. Le mettre à terre, puis le menacer. Mais comment lutter quand une migraine et des maux de ventre vous assaillent également dans votre corps? «Tu n'as qu'à faire tomber son masque et sa cape. Sans ce déguisement, il se sentira nu, ridicule... Et les enfants seront si désemparés qu'ils arrêteront de brailler... »

Wilfred se remit debout en soufflant. Kite marcha les jambes pliées sur quelques mètres puis se releva en se retournant. Enlever le déguisement, cela n'allait pas être facile, car Wilfred savait que, sans lui, il n'était plus le personnage des contes de fées...

Les deux hommes se regardèrent pendant quelques secondes, puis ce fut Kite qui fonça sur son adversaire, l'épée vers le sol. Il ne voulait pas le blesser, seulement le faire trébucher.

— Tiens-la comme un chevalier! hurla Wilfred. Je ne veux pas d'une victoire facile!

Mais il ne l'écouta pas et garda la pointe de son arme vers le bas. Le choc n'eut pas lieu. L'autre l'avait habilement esquivé. Avant que Kite n'ait le temps de se retourner, l'homme masqué arma son coup. Et frappa.

L'épée cogna l'épaule de Paul, lui arrachant un cri de douleur. Les enfants, eux, crièrent de contentement. Il jeta un regard sur sa veste. La lame émoussée n'avait même pas entaillé le tissu.

Alors Wilfred ne s'arrêta plus.

Kite se défendit comme il pouvait. L'homme masqué était un bon bretteur, mais semblait se fatiguer vite. Sa respiration s'accélérait et les mouvements de ses bras devenaient moins amples, plus gauches. Il manqua lâcher son épée plusieurs fois. Kite se contentait d'anticiper les coups pour lui barrer le chemin de ses chairs en se protégeant avec son épée. Il ne cherchait nullement à attaquer. Quand il jugerait le moment opportun, quand son adversaire serait à bout de souffle, il le heurterait de tout son poids pour le faire tomber. À terre, il aurait le loisir de lui enlever son déguisement.

Tout autour, les enfants étaient muets de stupeur. Qui était ce chevalier bedonnant, ce touriste venu de Londres, qui résistait aux assauts du seigneur de Blackbird?

Kite sentit qu'il devait agir au moment où Wilfred, fatigué de ses assauts, soufflait si fort que l'on n'entendait que ce bruit dans la pièce. Ses jeunes disciples ne l'acclamaient plus. C'est peut-être ce qui lui porta le coup fatal.

Paul cessa ses moulinets et se précipita vers son adversaire. Lui aussi était fatigué, mais ses douleurs avaient disparu. Hébété, l'homme masqué ne put l'éviter. Le choc fut frontal et Kite se protégea de son coude pour éviter que leurs têtes ne se cognent. Le coup écrasa le bec du masque de son ennemi, mais ne l'enleva pas. Wilfred s'écroula à terre. Kite fit un effort surhumain, sollicitant ses muscles ischiojambiers pour rester debout.

Il pointa alors son épée sur le masque abîmé de Wilfred.

— Tu as perdu, haleta Paul. Tu es déchu! Ôte ce déguisement!

Mais son adversaire au sol ne répondit pas. Était-il évanoui? Il n'eut pas la possibilité de s'en assurer. Les enfants se faufilèrent pour entourer le corps de leur seigneur. L'armurier donna un coup de poing sur la main de Kite qui tenait l'épée et l'arme tomba au sol. Quelques pleurnichements se firent entendre.

— Il l'a tué! laissa tomber quelqu'un.

L'ex-inspecteur ouvrit de grands yeux. Était-ce possible? Wilfred pouvait-il avoir succombé à une crise cardiaque pendant le combat?

Quelle était la réalité de cette situation? Qu'allait-il se passer dans les prochaines minutes?

« Les enfants vont te réduire en charpie si tu as occis leur meneur... »

Kite fixa de nouveau le corps de Wilfred entouré par ses jeunes disciples. Les capes l'empêchaient de distinguer le torse de son adversaire. Juste voir s'il respirait encore... Quelques enfants abandonnèrent leur seigneur pour venir encercler Kite.

« Entouré de Wilfred en herbe ! De Wilfred plus haineux encore... »

Les douleurs revinrent. Sévères. Il ne savait plus qui regarder... La couleur jaune l'attira plus qu'une autre. Ce n'était pas une cape, pas un pantalon, ni une chemise. Des cheveux couleur des blés. Les cheveux d'une petite fille embrassant le cou de Wilfred.

ALICE !

Le monde s'écroula de nouveau. On lui appliquait sur le nez un coton qu'il respirait avec avidité, toujours à la recherche d'air. C'était une odeur de chloroforme. La dernière de cette journée singulière.

11

Mercredi 4 avril

Le jour se levait à peine quand Paul Kite émergea. Il lui fallut quelques secondes d'adaptation pour identifier l'endroit où il reposait. La lande. Il était dans la lande, face au château, à l'endroit exact où il se trouvait lorsque la nuit était tombée d'un seul coup sur l'île.

Pourquoi s'était-il endormi ici? Pourquoi ne pas avoir regagné le manoir de sir Grant? Il ne se rappelait plus. Très probablement parce qu'il avait sombré dans le sommeil sans même s'en apercevoir... Devait-il ajouter la narcolepsie à la liste des troubles dont il souffrait?

« Fais un effort », souffla la voix. « Tu n'es pas retourné au manoir parce que tu es parti très fâché contre ce milliardaire à la petite semaine... »

La voix de Wilfred trottait toujours dans sa tête.

Wilfred!

D'un seul coup, toutes les images déferlèrent dans son esprit. Son rêve lui avait semblé si réel. Il avait vraiment eu l'impression d'entrer dans le château du fou masqué. Il se rappela toutes les visions aperçues dans son sommeil : le bateau sombrant dans la mer démontée après avoir livré des caisses de whisky, la cellule humide et le geôlier portant le même masque que Wilfred, la cérémonie durant laquelle il avait terrassé le seigneur de l'île...

Décidément, sa capacité à l'affabulation était mise à rude épreuve sur Blackbird et semblait déverser son trop-plein pendant son sommeil.

Allongé sur le sol, il n'éprouvait pas la moindre sensation de froideur. Il se trouvait presque bien. Sa gorge le chatouillait un peu, mais ses maux de ventre semblaient s'être calmés. Combien de temps avait-il dormi? Quinze, seize heures... Seize heures de jeûne avaient eu raison de ses souffrances à l'estomac.

Paul se releva en s'appuyant sur les avant-bras. Son épaule le lança un bref instant, puis la douleur disparut.

Il retint sa respiration. Ce muscle endolori à l'épaule... N'avait-il pas reçu un coup pendant son combat avec Wilfred?

« Bravo, Kite! Tu n'arrives même plus à faire la différence entre un rêve et la réalité... Réfléchis un peu : tu as très bien pu te faire un hématome en tombant à terre... »

Il regarda s'il ne portait pas sur lui d'autres stigmates de son rêve. Sa veste et son pantalon étaient à peu près secs. La rosée les avait très certainement humidifiés. Il ne pouvait en tirer aucune conclusion. Pourquoi devenait-il aussi suspicieux avec tout... L'atmosphère de Blackbird et tous ces événements jouaient sur ses nerfs, c'était manifeste. Ne pourrait-il jamais retrouver son entrain d'antan?

« Non! » constata brièvement la voix.

Kite regarda l'heure et son cœur bondit dans sa poitrine.

Le cadran de sa montre était gorgé d'eau. Comme s'il avait traîné sur le sol détrempé d'une geôle...

« Ou comme si tu avais passé la nuit à la belle étoile, les

bras dans l'herbe humide... » lui rappela la voix de Wilfred qui prenait de plus en plus son ton si particulier. « Tu n'as pas la prétention de croire que tu as battu le seigneur de Blackbird, tout de même ? »

— Je ne crois rien, balbutia Kite à haute voix comme s'il se trouvait devant l'homme masqué.

Elle était encore plus rauque que dans son rêve. Une voix qu'il ne se connaissait pas.

Décontenancé, il s'éloigna du château délabré sans même y jeter un dernier regard.

« Rêve ou réalité ? » « Rêve ou réalité ? » Il devait trancher.

Pendant son trajet pour revenir au manoir, il s'était donné pour objectif de reconstituer au mieux sa nuit. Il se rappelait tant de détails.

Comment pouvait-il en être autrement ? Par quelle magie aurait-il pu pénétrer dans le château ? Il se souvenait d'avoir entendu la voix de Wilfred avant de s'assoupir dans la lande, mais il ne l'avait pas vu... N'était-ce pas encore un tour farfelu de son esprit malade ? Dans son rêve, le gardien de prison lui avait parlé de philtres magiques pour expliquer sa capture... N'était-ce pas propre au rêve, cette rationalité de l'imaginaire, ce moyen d'expliciter le moindre détail pour le rendre le plus réel possible à la manière d'un écrivain ? Kite se fit la réflexion. Quand un auteur veut décrire une action, il se doit de le faire avec force détails, insistant sur bon nombre de points, zoomant, détaillant souvent à outrance chaque élément pour les rendre réels aux yeux du lecteur. Pour un rêve, c'était ce même processus que reproduisait le cerveau...

Si Kite avait vécu la scène du bateau, aurait-il remarqué tant de choses ? Se serait-elle déroulée avec une telle limpidité ? N'aurait-il pas été terrassé par la peur, la fatigue et la douleur, et ne se serait-il pas réfugié dans un coin de la cellule, loin de cet hideux spectacle?

Et pendant la cérémonie, puis le combat... Aurait-il accepté l'épée tendue, dans la réalité? N'aurait-il pas agi autrement, refusant l'affrontement, hurlant aux enfants de se reprendre, bondissant sur Wilfred pour lui arracher son masque une bonne fois pour toutes?

Il devait se rendre à l'évidence : ou bien il avait rêvé cette nuit au château, ou bien il l'avait vécue à travers les yeux d'un écrivain...

Dans un cas comme dans l'autre, il déclara Wilfred coupable. Coupable de l'atmosphère si pesante de l'île, coupable de semer le trouble dans son esprit déjà fragile.

La sentence devait tomber incessamment : mettre un terme aux agissements du personnage, le neutraliser et attendre que la tempête se calme pour faire venir les autorités écossaises.

Mais l'ex-inspecteur du New Yard ne pouvait mener seul cette chasse. Cela nécessitait des appuis, des mains fortes sur lesquelles compter. Il lui fallait l'aval de sir Grant, il devrait développer devant le milliardaire un argumentaire si fort qu'il ne pourrait que céder à ses injonctions. Il avait quitté son hôte avec perte et fracas et espéra qu'il serait d'accord pour l'accueillir de nouveau. La situation le nécessitait. Kite étant même prêt à faire des excuses, si sir Grant en demandait...

Mais comment transformer de simples intuitions en éléments de preuves?

« Allons, Kite ! Ne me fais pas rire ! Tu as déjà fait ça quelquefois dans ta carrière de flic... C'est monnaie courante dans la police. »

Il n'écoutait même plus la voix du fou, se concentrant sur son but. Paul prit au plus court et n'emprunta pas le chemin par la source puis par la *Gull's Stone*. Il coupa à travers la lande, marchant en ligne droite, sachant qu'il tomberait tôt ou tard sur la façade arrière du manoir de sir Grant. Il n'avait pas de temps à perdre...

Son plan était fou, bien sûr. Les villageois ne l'aideraient pas. Sur qui compter? Bolt et son collègue, s'ils en recevaient l'ordre du milliardaire; Thomas, le jeune directeur de l'école, si Kite arrivait à le convaincre; Douglas et sa famille, s'il leur racontait que le monstre du loch Ness avait été fait prisonnier dans le château. Non, il ne voulait pas profiter de la crédulité des faibles gens. Il se posa la question : est-ce que sir Grant se joindrait à son expédition?

Comment entrer dans le château? Faudrait-il attendre que Wilfred sorte de sa tanière pour le cueillir?

Paul devait cesser de se projeter dans l'avenir d'une manière aussi stérile. Il fallait en premier lieu convaincre son hôte de l'aider, le persuader que Virginia avait très probablement été une victime involontaire des expérimentations féeriques du fou masqué.

Une idée germa dans son esprit fatigué : devant sir Grant, il ferait de sa nuit une expédition au château. Il devait se convaincre lui-même de la réalité de ce qu'il espérait n'être qu'un rêve. Il insisterait bien sur la montre gorgée d'eau et l'épaule endolorie.

Lorsque le manoir fut en vue, il ralentit sa marche pour se répéter tous les détails de la nuit. Il fallait faire un récit aussi réel que possible et évoquer son kidnapping le plus concrètement du monde. Il raconterait également le naufrage du navire.

Cette recherche dans les méandres de ses souvenirs sema le doute en lui. À force de méthode Coué, la douleur à l'épaule se raviva. Quand il pénétra dans le manoir, il aurait été capable d'écrire son récit d'une seule traite. Et sa prodigieuse réalité lui fit subitement peur.

Il croisa la gouvernante dans le couloir. La jeune femme essuya ses yeux d'un rapide revers de manche avant de serrer la main à l'ex-inspecteur.

— Bonjour, Judith.

— Bonjour, Mr Kite. Déjà levé?

Sa voix était un chevrotement. Elle venait manifestement de pleurer.

— Je n'ai pas dormi ici. J'ai passé une nuit effroyable... Sir Grant est-il levé?

Les poches sous les yeux de Paul accréditaient cette version des faits. La jeune femme resta muette. Ses lèvres tremblaient.

— Il est encore au lit?

— Il ne se lèvera plus, lâcha la gouvernante en ravalant ses sanglots. Le docteur Livingstone est venu cette nuit installer une pompe à morphine. Ses douleurs à l'estomac l'empêchent de se mettre debout.

Kite accusa le coup en silence. Sir Grant alité, peut-être même mourant... Égoïstement, il pensa à lui. Quelles étaient ses portes de sortie à présent?

— Je ne vous conseille pas d'entrer dans sa chambre, ajouta Judith. C'est très impressionnant. Son visage n'est plus qu'un rictus. Nous nous relayons, Margaret et moi, depuis la venue du médecin. C'est très dur. Il n'y a bien que miss Alice qui ne pleure pas en le veillant...

Kite ne décela aucun reproche dans cette dernière réflexion.

— Permettez-moi de me rendre dans sa chambre, fit Kite. Je dois lui parler.

La jeune femme ne pouvait s'y opposer.

— Il est seul en ce moment. J'allais demander à Margaret de venir, mais si vous désirez rester avec lui...

— Merci, Judith.

— Priez pour lui, chuchota-t-elle avant de s'éloigner.

Mais Kite avait oublié ses Credo depuis bien longtemps.

Une chambre de manoir transformée en mouroir. Telle
fut la première impression de Paul. Son plan, son discours réduits en miettes par la détresse du milliardaire.
Cela lui rappela l'atmosphère de la chambre de sa mère,
à la clinique, dans les derniers mois de sa maladie. Toujours cette dimension tragique. Les yeux de sir Grant
étaient grand ouverts, encore si vivants. L'homme souffrait dans sa chair, mais plus encore dans son esprit. Il ne
s'était pas résigné à la maladie et à son issue très certainement fatale. La présence de la pompe à morphine était là
pour le lui rappeler. De la musique sortait des enceintes
d'une chaîne hi-fi encastrée dans le mur. Il crut
reconnaître les Pink Floyd. *High Hopes*[1]. Comme pour se
convaincre.

— Ne baissez pas le volume, Mr. Kite. J'ai besoin de
cette mélodie.

Paul ne sut quoi répondre.

— Ne suis-je pas pitoyable ainsi?

Il tenta de sourire.

— La douleur me cloue au lit, Mr. Kite. Je ne peux
trouver de verbe plus parlant que celui-là. Avant, je ne
savais pas ce que c'était que souffrir.

Paul profita de la pause forcée de Grant pour commencer le récit de sa nuit. Mais son hôte l'interrompit d'une
voix qui se voulait autoritaire.

— N'usez pas votre salive avec moi au sujet de vos
investigations. Voyez avec Bolt. Je lui ai demandé d'expé-
dier les affaires courantes.

---

1. Littéralement : *grands espoirs.*

Kite se garda bien de faire remarquer que la découverte du corps d'une petite fille au détour d'un chemin n'était pas très courant. Le masque de douleur de sir Grant le fascinait. Il n'avait encore jamais vu une telle douleur marquer les traits d'un être humain. Dans son métier, il ne voyait la plupart du temps que des cadavres. Sur ce lit, c'était à ce processus de transformation qu'il assistait : le corps qui se préparait à perdre la vie. Bien sûr, il avait déjà vu sa mère dépérir à cause de son cancer, mais ce n'était pas comparable. Quelques jours auparavant, sir Grant était le plus robuste des hommes. Kite eut du mal à rester impassible devant le lit. Alice devait y parvenir car, comme les enfants, elle ignorait tout de la mort. Il se ravisa aussitôt. La mère de la petite fille était décédée en couches. Elle devait donc appréhender la maladie de son père... L'appréhender dignement. Sa gorge se serra.

— Cette douleur... commença Kite.

— Elle vous fascine, n'est-ce pas ? le coupa Dwight Grant. Je l'ai vu dès que vous avez posé votre regard sur mon visage. Avant votre arrivée au manoir, ce n'étaient que des maux de ventre bénins avec quelques crises plus intenses pendant lesquelles j'avais l'impression qu'on me piquait l'estomac avec des aiguilles. Puis la souffrance s'est accentuée de jour en jour, d'heure en heure même. Cette nuit, j'ai ressenti comme un paroxysme... Des palpitations qui ne s'arrêtaient pas. J'ai fermé les yeux et j'ai vu mon ventre exploser sous l'ardeur des coups. C'était pour moi le seul moyen d'arrêter cette souffrance. Mais elle continuait. J'ai ouvert mes yeux de nouveau et mon ventre était là. Creusé par la faim. Il ne palpitait même pas, alors que dans mon corps, c'était une sensation de mort, une nuée de coups. J'ai pensé un court moment à me rouler par terre pour tenter de focaliser mon esprit sur autre chose, mais le courage me manquait. La douleur est remontée dans l'œsophage, dans les poumons, m'empêchant de pousser le moindre cri libérateur. Tout mon être était envahi par des millions d'insectes. Je me disais : « Ça n'est pas possible ! Toi qui te donnais pour principe de ne jamais écraser une fourmi ou une mouche, voilà qu'elles viennent infiltrer ton corps et te faire souffrir. » J'ai cru étouffer. Cela a duré longtemps, assez longtemps pour que mon organisme s'habitue et ne tombe pas dans l'inconscience.

Ce discours l'avait épuisé. Il se saisit maladroitement d'un verre d'eau et en but une gorgée. Dans les premiers symptômes de la maladie de son hôte, Kite venait de reconnaître ceux propres à ses maux de ventre. Existait-il un syndrome de Blackbird ? Il chassa rapidement cette réflexion en y voyant une manifestation de son hypocondrie.

— Vous craignez la douleur, Mr. Kite ? demanda sir Grant, en se léchant les lèvres. Plus que la mort, n'est-ce pas ?

— Oui, bafouilla-t-il.

— C'est une réflexion de bien portant. Le genre de paroles à l'emporte-pièce que l'on balance lors d'un apéritif entre amis. C'était également mon opinion. Ces grands discours sur la mort que l'on attend comme une délivrance...

Il marqua une pause.

— Croyez-moi, Paul... Lorsque vous savez que la fin est proche, la souffrance est le seul moyen de vous sentir encore en vie. À présent, c'est quand elle cesse que je prends peur...

— Votre lucidité...

— ... m'égare, le coupa de nouveau le milliardaire. Je le sais, Paul. Je ferais bien mieux de m'abrutir d'une façon ou d'une autre, m'injecter de la morphine encore et encore. Mais j'ai tant écrit sur la souffrance et la mort... Tant de bêtises, que je veux profiter de ces instants pour faire amende honorable...

Quelqu'un frappa à la porte. L'ex-inspecteur tourna la poignée. Alice se trouvait devant lui. Alice de ses rêves, Alice de la réalité... Même petite fille qui ne lui sourit pas, le considérant très probablement comme un intrus dans cette chambre.

— Je veux continuer à discuter avec vous, Mr. Kite, expira sir Grant. Revenez me voir quand la morphine aura de nouveau fait effet. Livingstone m'a installé une petite pompe, mais le bouton ne redevient actif que quatre heures après la dernière injection. Pour le moment, je vais discuter avec ma fille chérie...

Kite sortit sans un mot, sous le regard d'Alice qui alla tout de suite saisir la main de son père. Qui était vraiment cette petite fille ? Cette ange dont parlait son père ou la petite peste décrite par le directeur de l'école ? Ce n'était pas le moment de trancher cette question, même si sa réponse eût été à même d'éclairer beaucoup de zones d'ombre de l'enquête. Il en était persuadé.

Il s'accorda une pause de quelques minutes dans le salon. L'humidificateur de sir Grant était posé sur la table à côté d'une bouteille de whisky *Bivill's*. Pourquoi Wilfred avait-il choisi ce nom étrange ? Y avait-il une raison particulière ? Kite avait envie d'un havane. Il ouvrit la boîte à cigares de son hôte et en saisit un sans même le sentir.

Il ne savait pas comment il devait réagir en face du milliardaire. L'homme était encore si lucide que l'on se devait de ne pas se laisser aller. Il alluma le Havane et tira dessus à plusieurs reprises pour l'enflammer.

Que pouvait-il faire à présent ? Une seule attitude lui paraissait sensée : FUIR. Fuir dès qu'il le pourrait... Dès qu'une accalmie se présenterait, le ferry venant de John O'Groats arriverait à l'embarcadère du village et il embarquerait sans se faire prier en compagnie du jeune garçon boucher, lui aussi coincé sur Blackbird Island...

Mais pouvait-il abandonner l'île à Wilfred? Pouvait-il laisser ce fou masqué régner sans partage maintenant que sir Grant était condamné?

« Ah! Quelle arrogance puante! » intervint la voix. « Tu crois pouvoir me vaincre comme dans tes rêves, c'est cela? Tu n'es pas d'ici, Kite! Retourne dans tes fumées londoniennes et laisse-moi à mes exhalaisons de plantes sauvages sur la lande! Ce n'est pas avec tes deux poings que tu stopperas mon armée d'enfants... »

Kite agrippa les accoudoirs du fauteuil en cuir et les serra aussi fort qu'il pouvait. Wilfred s'adressait à lui non seulement dans son sommeil, mais également dans ses périodes éveillées. C'était une angoisse intenable!

Il devait trouver quelqu'un à qui parler pour ne pas s'enfermer dans la solitude, maintenant que la douleur avait supplanté l'île sur la liste des obsessions de sir Grant.

Thomas Derkemp. Le jeune directeur de l'école semblait le plus apte à écouter les confidences de l'ex-inspecteur. Kite pourrait lui confier ses craintes sur Wilfred, lui parler de la maladie de sir Grant, et surtout lui demander la vérité au sujet de Virginia et d'Alice.

Il regarda sa montre toujours humide. Il était beaucoup trop tôt pour rendre visite au jeune homme.

Il demanda à Margaret si elle voulait bien lui préparer un petit déjeuner. La vieille femme s'activa immédiatement derrière ses fourneaux.

— Ça m'empêchera de penser à notre pauvre maître, avait-elle murmuré.

Paul se doutait bien que la nourriture réveillerait son mal de ventre, mais il avait une faim de loup.

« Comme sir Grant ! » susurra la voix. « Tu te rappelles votre premier dîner ? L'ensemble de la maisonnée le savait déjà malade, mais lui avait très faim et dévorait tous les plats... Dis-moi, Kite... Ne souffrirais-tu pas d'une Wilfredite aiguë ? »

— Assez ! grommela l'ex-inspecteur pendant que Margaret lui servait le thé.

La cuisinière lui jeta un regard atterré. Kite voulut s'excuser, mais la vieille femme lui avait déjà tourné le dos.

Il engloutit ses œufs et quelques tartines en vitesse. Il avait hâte de rencontrer Derkemp. Peu importait l'heure. Il irait le voir sur-le-champ, comme cela Alice ne serait pas là pour dicter ses ordres.

Sa déception fut à la hauteur de son espoir. Martha le reçut dans sa classe. Elle découpait des motifs dans du papier crépon pour la classe de la journée.

— Thomas n'est pas rentré hier soir, souffla-t-elle.

Son visage reflétait une angoisse extrême. Kite se douta que cette jeune fille était l'amie intime du directeur.

— Il est sorti prendre un verre au *Wild Boar*, comme tous les soirs. Quand je suis venu dans sa chambre pour lui dire bonsoir, il n'était pas rentré.

— Où habitez-vous ? demanda Kite, qui avait du mal à cacher sa déception.

— Thomas, Rosamund et moi logeons à l'étage supérieur.

— Cela lui arrive souvent de découcher ?

— Quelquefois. Ce n'est pas régulier, mais certains soirs, quand le ciel est magnifique, il ne rentre pas. L'astronomie est sa passion. Il passe des nuits entières sur la lande ou sur la plage à observer les étoiles avec son télescope.

Elle s'arrêta. Par nervosité, elle manquait déchirer chaque motif.

— Je ne comprends pas son absence de cette nuit. Le temps ne se prêtait pas du tout à l'observation du ciel... Et puis d'habitude, il rentre le matin pour prendre une douche et manger un morceau.

Kite hocha la tête et prit congé de la jeune femme. Elle n'avait aucune raison de lui mentir, cela ne servait donc à rien de monter en douce dans la chambre de Derkemp.

Il marcha en direction de la *Gull's Stone*.

« Qu'espères-tu y trouver ? Le cadavre de Thomas avec des ailes cousues dans le dos ? Cela ferait une belle petite paire d'anges, tu ne trouves pas ? »

Il souffrait de son estomac et la grave maladie de sir Grant ne l'incitait pas à l'optimisme quant à sa guérison. Ne plus pouvoir discerner le vrai du faux sur Blackbird l'angoissait. Rêve, cauchemar et réalité se réunissaient sur l'île en un vortex écœurant que la voix de Wilfred résonnant dans sa tête ne faisait qu'amplifier.

Arrivé près de la pierre, il se mit à crier des sons inintelligibles jusqu'à faire fuir tous les goélands, même les plus intrépides.

Il hurla sa haine car, au fond de lui, il se doutait bien que sir Grant ne serait pas le seul à partir dans les prochains jours...

12

Une foule d'hypothèses se bousculait dans son cerveau en fusion. Qui commandait vraiment sur cette île ? Pour qui les parents marchaient-ils ? Et les enfants ? Où se rendaient-ils après l'école et les week-ends ? Kite n'avait jamais vu de gamins dans les rues du village de Blackbird.

Les réponses à ces questions qu'il cherchait depuis maintenant trois jours seraient indispensables pour la résolution du mystère qu'il traînait derrière lui comme un boulet. Ce cadavre d'une petite fille apparemment sans histoire que l'on avait déguisée en fée sans penser qu'elle en succomberait... Qui en avait eu l'idée ? Paul penchait pour Wilfred, dans un moment d'égarement, dans un délire que les enfants soutenaient à grand renfort de « hourra ! » et de « youpi ! »... Mais ce pouvait être aussi un jeu de gamins qui aurait mal tourné... Une proposition d'un garçon bidouilleur qui aurait proposé à Virginia de la faire voler...

Il était exténué par tant de silence, de non-dit. Au début de son séjour sur Blackbird, il louait le calme, craignait les gens, fuyait toute conversation. Maintenant, il espérait exactement l'inverse. C'était le signe indubitable de son changement, de sa renaissance.

Ce qui tracassait le plus Kite, c'était la dissimulation du

cadavre... Ce mensonge éhonté que le milliardaire avait tenu aux parents de la gosse en la déclarant simplement comateuse et interdisant ainsi les visites le temps de calmer les esprits... Il n'avait pas eu le courage d'affronter la présence du corps chez Livingstone, comme il n'avait pas trouvé la force de se rendre chez les parents de la petite fille pour discuter avec eux. La peur de se trahir, peut-être ?

Pourquoi sir Grant tenait-il tant à garder l'homicide secret ? Il n'avait aucune raison de protéger Wilfred, son ennemi... En fin politicien, il aurait même pu se servir de la dépouille de Virginia pour monter définitivement la population contre l'homme masqué... Pour faire venir la police de la côte et arrêter le malfaisant...

Mais il avait préféré confier l'enquête à Kite, l'inspecteur déchu, le flic dépressif qui avait accepté car il sentait de nouveau l'adrénaline couler dans ses veines...

Quel duo pitoyable ! Le gentilhomme couard, effrayé d'affronter un Robin des bois d'opérette et le policier sur le retour qui ne demande qu'une enquête pour oublier temporairement ses tourments. L'ex-inspecteur qui passe une nuit dans un château imaginaire, où les bateaux coulent dans les criques, tels les navires de corsaires, où les enfants sont tous déguisés comme en plein carnaval...

Le milliardaire avait-il une nécessité particulière de ne pas divulguer l'homicide ? Pour se préserver... Ou pour préserver sa fille, Alice...

Pourquoi ces ailes ? Les ailes obsédaient Kite depuis le départ... Elles faisaient irrémédiablement penser à une créature de légende...

Sir Grant ne pourrait plus confirmer ou infirmer chacune de ses hypothèses. Du reste, il ne l'avait pas fait de son vivant, alors pourquoi pendant son agonie ? « La vie a ses raisons que l'agonie ignore », cracha la voix.

Kite ne fit même pas attention. Quelle suite pouvait-il donner à ses investigations à partir de maintenant ? Derkemp disparu, il était seul. Seul contre tous. Il n'allait tout de même pas demander à Douglas et à son fils de le seconder... Ce serait abuser d'eux.

Son souhait, c'était de se rendre au chevet de sir Grant pour le veiller. Pour entendre de nouveau la voix de son hôte. Il éprouvait une sorte de fascination morbide pour le milliardaire. Ce matin, dans la chambre, ses douleurs s'étaient évanouis d'un seul coup lors de sa discussion.

Il ne voulait pas rester auprès du malade pour apprendre quoi que ce soit si ce n'était apprendre à mourir...

Paul Kite se leva de son lit d'un seul bond. Il écrasa son cigare dans le cendrier et sortit.

La chambre de son hôte était située juste à côté. Il ne risquait pas d'y croiser Alice. La fillette était à l'école, à cette heure. Dès lors qu'il posa la main sur la poignée de la porte, ses maux de ventre s'estompèrent.

L'homme avait encore dépéri depuis le matin. Il semblait avoir de plus en plus de mal à bouger. Quand Kite arriva dans la pièce, ses paupières étaient fermées et sa tête penchée sur la droite, le menton mouillé par la salive. On le laissait dormir. Ni Margaret ni Judith ne le veillait.

Il regardait l'agonie de sir Grant comme un voyeur saoulé par la détresse. Des images profondément enfouies lui revinrent.

Sa mère, allongée dans un lit d'hôpital, recouverte d'un drap blanc comme un suaire, le corps amaigri par la maladie mais le bras gonflé par les perfusions mal maîtrisées.

« Tumeur au cerveau » : la phrase du médecin qui bat dans votre tête au rythme des appareils médicaux...

L'expression qui se glisse insidieusement dans toutes vos conversations.

Entrer dans la chambre, les joues essuyées qui ne trompent certainement pas le malade, en ravalant les larmes d'une journée entière passée à redessiner cette tête décharnée que l'on découvre chaque soir avec toujours un peu plus d'os et moins de peau...

Se substituer au médecin en transcendant son pouvoir, en se faisant Dieu, capable d'extraire la tumeur d'une simple imposition des mains sur le front. Ce geste qu'il savait voué à l'échec, il le répétait inlassablement, à chaque visite, gardant en tête l'infime espoir du miracle et levant sa main après chaque imposition en espérant y voir la tumeur accrochée, morceau de charbon chargé d'humeurs, libérant d'un seul coup l'esprit de sa maman.

Devait-il poser ses mains sur le ventre de sir Grant? Devait-il répéter ce geste, lui qui ne croyait plus en rien?

Kite se rappelait les baisers que sa mère lui déposait sur les joues, si faibles qu'il devait les imaginer. Il tournait malgré lui le regard pour fixer tous ces objets appartenant à sa maman et qu'elle devrait abandonner bientôt. Il ne pouvait éviter de se projeter dans le futur, emballant les robes et les bibelots dans de grands cartons, des larmes plein le visage. Il refermerait les paquets sur toute une vie, comme on mettrait le point final à un résumé de quelques lignes où il manquerait l'essentiel.

C'était sans évoquer les moments de lucidité. « Je vais lutter, il faut m'aider à m'en sortir, mon chéri. Ta présence y fait beaucoup, tu sais. C'est comme ce grand cœur rouge que tu as accroché devant moi sur le mur... Ça m'aide... »

Écouter ce discours rodé pendant les instants de solitude de votre maman, dans le silence étouffant de sa chambre, alors que le médecin, habitué à la misère, venait de vous marteler l'issue de ce combat perdu d'avance.

Humainement, vous voulez penser aux autres fils dans cette situation pour que la maladie vous apparaisse moins poignante...

Égoïstement, vous n'y parvenez pas et imaginez être le premier à vivre cette agonie, enviant et haïssant, dans un maelström tragique, vos amis et leur mère bien portante... Ces bienheureux qui vous font ressentir encore plus fort l'absence que le cancer sculpte au fur et à mesure de ses multiplications anarchiques...

Il avait refusé que Mary assistât aux derniers instants de sa grand-mère. Quel âge avait-elle à l'époque ? Douze ans, peut-être ? L'âge d'Alice à peu de choses près... La fillette ne devait plus rentrer dans cette chambre. Kite en avait la conviction. Il se promit d'en faire part à Judith.

Il se rappelait les moments de répit provoqués par l'arrivée des infirmières et des aides-soignantes dans la salle, ces femmes que vous respectez tant pour leur dévouement. Il avait un mal fou à abandonner la seule étreinte que pouvait encore lui donner sa mère, l'emprisonnement d'un doigt dans sa paume poisseuse.

Il dut s'asseoir pour ne pas flancher devant sir Grant. Une bouffée de chaleur monta en lui. Il s'écroula littéralement sur la chaise. C'est le moment que choisit son hôte pour ouvrir les yeux. Il fixa Kite avidement. Sa main tremblait. Il trouva la force d'appuyer sur le bouton-poussoir commandant la pompe à morphine. Un chuintement troubla le silence de la pièce. Le piston injectait le stupéfiant dans les veines du malade.

Alors il se mit à psalmodier des mots incompréhensibles. Kite se rapprocha pour l'encourager à articuler.

— Prenez un carnet et écrivez, commença-t-il. Je pourrais très certainement tenir un stylo de ma main droite, mais je préfère garder le mécanisme de la pompe...

Kite voulut lui dire qu'il n'avait pas de quoi écrire, mais n'en eut pas le temps. Le milliardaire ne lui parlait pas vraiment. Il devait avoir préparé son discours durant les dernières heures, pour se concentrer sur autre chose que la douleur.

— N'omettez aucun mot, insista bien le malade. Collez parfaitement à ma pensée. N'essayez pas de faire votre propre tambouille en prenant des notes... Je m'arrêterai quand je me sentirai trop fatigué pour continuer. Vous porterez le carnet à Judith qui le retranscrira sur l'ordinateur.

Il s'arrêta net. Kite n'avait pas de carnet près de lui. Il simulerait l'écriture en cachant un bloc imaginaire derrière son genou croisé.

— Ce sont mes pensées définitives, Mr. Kite. Je ne pourrai plus évoluer, à présent. Je vais mourir avec ces opinions. Écoutez-moi bien... Mettez en titre : *Préface*.

Tout d'un coup, Kite prit conscience de la nature cachée de sir Grant. De cet esprit tourmenté qu'il avait décelé dès sa première rencontre et qui l'avait rapproché du milliardaire. Sa force de caractère lui permettait de dresser un paravent inamovible pour ne pas laisser paraître ses failles. Mais la souffrance avait eu raison du blindage.

— Quand le désir m'étreint, je deviens un monstre lubrique. Avez-vous déjà vu aussi laid qu'un homme en plein coït ?

Kite écarquilla grand ses yeux.

— À la différence de la femme, ma jouissance est mécanique. Que puis-je dire de mieux ? L'homme devrait apprendre à aimer avec son cerveau. Cette bestialité m'a gâché la vie. J'aurais dû me retenir de jouir lors de mon seul et unique rapport avec mon épouse. Je n'ai su refréner un plaisir qu'elle n'aura jamais connu dans mes bras. Dieu aurait fait la femme égale à l'homme ? La belle affaire...

Sir Grant jeta un rapide coup d'œil vers l'ex-inspecteur. Le faux mouvement d'écriture de Kite le rassura. Avait-il le droit de tromper un mourant de la sorte ? Quel était la véritable teneur de ce discours déstructuré ? Paul se remémora les paroles d'Alice concernant le décès de sa mère. Elle disait que son père avait gardé Judith à ses côtés pour des raisons « expérimentales », c'était le mot de la petite fille. Serait-ce pour argumenter cette seule logorrhée qu'il saoulait la gouvernante de questions ? Le délire semblait si tenace...

— La procréation masculine implique l'éjaculation, donc la jouissance, le sursaut de votre bassin irradié par la félicité. La procréation féminine n'implique rien de tout cela : pour elle, il n'est à aucun moment question d'une satisfaction obligatoire. Elle peut recueillir votre semence dans la plus parfaite indifférence, cela ne changera rien. Neuf mois après, un enfant sortira de ses entrailles. J'étais trop ignorant. Mes parents m'avaient élevé dans un cocon si filandreux que je ne pouvais rien voir de l'extérieur. Il faut en tirer la leçon et ne pas élever les enfants de façon irresponsable...

Sir Grant se secouait. Il épelait presque certains mots, donnant à son discours un caractère encore plus emphatique. Des soubresauts agitaient son estomac. Quelquefois, il se cambrait même sur son lit. Mais il continuait. Inlassablement.

— Nous avons fait l'amour une seule fois et nous avons eu Alice. J'ai brisé l'hymen de ma femme avant de contribuer à briser sa vie neuf mois plus tard. Comment peut-on rester les bras croisés après un tel événement ?

J'espère que ces pages contribueront à changer les choses. Ma vie aura été trop courte pour me permettre de réfléchir à la réponse biologique à ce véritable problème qui gangrène notre société tout entière et transforme nos relations avec femme et enfant en affrontements perpétuels. Rendre la jouissance de l'homme moins systématique, prévenir les jeunes femmes de l'insolence masculine, tel aurait été mon rêve. Je n'ai pas l'ambition de laisser une trace ici à travers mes écrits. Ma trace est, et restera, ma chère fille, mon Alice que j'adore. Je ne prétends nullement écrire dans l'enivrement, sous l'égide d'une inspiration céleste, mais je me suis plutôt attelé à l'écriture comme un moyen de diffusion. Faites que cette dernière phrase donne à mon ouvrage un gage de sérieux, de rigueur et d'application. Ce que doit être l'éducation d'un enfant.

Kite s'apprêtait à détendre ses jambes lorsque sir Grant poussa un cri bref. Son visage se crispa et se figea en un rictus impressionnant de laideur. Ses joues s'empourprèrent immédiatement.

Paul prit peur... Et si le malade, fatigué par son discours, venait à suffoquer? Son état général était si faible qu'il n'en réchapperait pas. S'il mourait avec lui seul dans la pièce, on aurait tôt fait d'accuser cet étranger de lui avoir maintenu les narines serrées jusqu'à la mort.

Il devait appeler Livingstone, le médecin. Mais le monologue du milliardaire était encore si présent dans son esprit qu'il dut se ressaisir pour se lever de sa chaise et sortir de la chambre. Comment pouvait-on ainsi tout mélanger? Quel tourment était à même de vous infliger tous ces supplices cérébraux?

Ses jambes retrouvées, il descendit en hâte vers la cuisine où il trouva Margaret.

— Livingstone... haleta-t-il. Faites-le venir... Vite...

La vieille femme poussa un cri et courut vers un téléphone encastré dans le mur. Ses doigts tremblants composèrent un numéro.

— Dr Livingstone, dépêchez-vous! Sir Grant est au plus mal...

Elle raccrocha aussi sec et se précipita dans l'escalier. Kite ne trouva pas le courage de l'accompagner en courant. Il attendrait le médecin pour remonter voir sir Grant.

Comment pouvait-on dépérir en si peu de temps? Vingt-quatre heures auparavant, le milliardaire n'était pas dans cet état de déchéance. Il était apparu fatigué à Kite, mais certainement pas mourant. Quelle pouvait être la raison de cette crise fulgurante?

« Tu joues au médecin en herbe, à présent? Ça ne te suffit pas de faire le flic paumé? Ne cherche pas d'explication... Sir Grant souffre d'une grave maladie. Cancer de l'estomac sans aucun doute. Les métastases auront atteint leur taille critique, voilà tout! Qu'est-ce que ton esprit tortueux pouvait bien imaginer? Que Judith empoisonnait son maître à petit feu? Judith ou Alice... Alice sur les ordres de Wilfred... »

Kite se haït. Comment pouvait-il héberger des pensées aussi abjectes? Un parricide, à présent... Il attendit, les mains sur les oreilles comme pour ne plus entendre la voix.

Livingstone arriva alors que les paroles de sir Grant résonnaient encore dans son esprit. Margaret n'était pas redescendue.

— Je suis Paul Kite, se présenta-t-il très simplement.

L'autre lui serra la main. Les traits de son visage étaient tirés. Il semblait fatigué. L'ex-inspecteur détailla le médecin. C'était un homme de la même carrure que sir Grant quoique plus dodu. Il nota qu'il ne portait pas de sacoche.

— Ce n'est plus la peine de m'appeler, déclara-t-il tout de go. L'installation de la pompe à morphine était la dernière chose que je pouvais faire pour lui.

Kite fut soufflé. Le serment d'Hippocrate ne semblait pas étrangler le praticien de Blackbird.

— Pardonnez-moi ce pessimisme, mais l'état de santé de sir Grant est critique.

— Cancer? demanda Kite.

Le médecin ne répondit pas et se dirigea vers l'escalier. L'ex-inspecteur le suivit.

— C'est très difficile à dire, lâcha-t-il enfin, une fois arrivé à l'étage. Il me faudrait un scanner pour formuler un diagnostic exact. Mais il y a des signes qui ne trompent pas. Et puis sir Grant est un homme si lucide que l'on se doit de faire cesser en premier lieu toute douleur...

À la lueur de ses précédentes conversations avec le milliardaire, Kite en douta. Il ne savait pas s'il devait entrer dans la chambre en compagnie du médecin. Ce dernier laissa la porte ouverte derrière lui. Il considéra ce geste comme une invitation.

Quand Paul entra, il vit Margaret, dans un coin, occupée à essuyer les larmes qui coulaient sur ses joues. Par pudeur pour le malade, elle faisait le moins de bruit possible, ravalant ses sanglots en silence. Livingstone était penché sur le corps raidi de sir Grant. Son visage était figé dans une expression douloureuse. Ses mains agrippaient le drap avec force. De la bave s'était échappée de sa bouche. Le médecin était en train de la lui essuyer. Immobile, on eût dit que le milliardaire était bel et bien décédé.

Livingstone ne resta pas longtemps près du malade. Il vérifia le bon fonctionnement de la pompe à morphine, puis recula pour rejoindre Margaret qu'il consola pendant un court instant. Kite ne pouvait regarder ailleurs que sur ce lit. Même lorsque le médecin s'approcha de lui, il ne broncha pas.

— Il passera continuellement par ces deux états, chuchota-t-il. Tantôt immobile, tantôt euphorique.

Il ajouta, encore plus bas :

— Il ne faut pas qu'Alice voie cela, n'est-ce pas ? Je viens de le dire à Margaret.

Kite était étonné. Le médecin lui parlait comme s'il était un proche de la famille. Avait-il envie de se confier ? Paul ne le croyait pas. Livingstone semblait tout simplement fatigué, anxieux. Devait-il en profiter pour le questionner ?

« Tu es impayable, Kite ! » railla la voix de Wilfred qui s'interposa une fois de plus dans ses pensées. « Tu continues à jouer au petit flic dans la chambre d'un mourant... Chapeau bas ! Je ne te croyais pas si consciencieux. »

Il se foutait bien de l'avis du fou masqué. Il entraîna le médecin en dehors de la pièce. Il en avait assez du silence. Prendre l'initiative : il ne lui restait plus que cela.

— C'est moi qui ai demandé qu'on vous appelle, débuta Kite. Je me trouvais avec sir Grant quand il a commencé à se raidir. Avant cela, il parlait convenablement. Il me dictait des phrases incompréhensibles sur l'homme et la femme.

— Je ne l'ignore pas, soupira Livingstone. Il y a de cela quelques mois, il venait me déranger chaque jour dans mon travail pour me poser des questions sur le système reproducteur masculin. Il semblait comme en transe lorsqu'il prenait des notes. Il m'empruntait des planches anatomiques et des encyclopédies médicales et me les rendait gribouillées de haut en bas sans un mot d'excuse...

Il marqua une pause.

— Cela tourna à l'obsession. Un jour, Judith est venue me trouver et m'a confié que sir Grant ne sortait plus du petit pavillon dans son jardin. Il ne mangeait même pas. Seules Alice et Judith avaient le droit de venir le déranger. Mais elle a fini par refuser d'y aller. À chaque fois, elle passait à la question. Dwight lui demandait de lui décrire ce qu'était le plaisir chez une femme, ce qu'elle ressentait lorsqu'un homme la pénétrait... Il n'avait aucune envie de passer à la pratique et ses questions étaient tout sauf obscènes. Il demandait les choses froidement, en bon médecin (Livingstone fit la moue). En biaisant, j'ai réussi à lui prescrire un traitement antidépresseur tricyclique. Tout est rentré dans l'ordre, du moins en façade. Mais les paroles que vous me rapportez ne m'étonnent guère...

Kite approuva en silence. Cette curieuse amitié qui l'avait lié à sir Grant dès leur première rencontre, qui lui avait fait accepter sa proposition, c'était bien cela. La fraternité des dépressifs. La confrérie des suicidaires.

— Sir Grant vous avait dit que je viendrais voir le corps de Virginia? continua-t-il, avide de réponses.

— Je vous ai attendu, répondit Livingstone. Mais maintenant, c'est trop tard. Bolt est passé ce matin tôt.

— Je vous demande pardon?

Le médecin ne répondit pas. L'ex-inspecteur réitéra sa question.

— Dans la nuit, Sir Grant a donné l'ordre d'incinérer le corps de la petite fille.

— Sans le consentement des parents? manqua s'étrangler Kite. Mais c'est abject! Vous n'avez pas le droit!

Le praticien fit un geste de la main pour demander à son interlocuteur de descendre d'un ton. Il devait se maîtriser, sinon il braquerait Livingstone contre lui.

— L'incinération est obligatoire sur Blackbird. Le

cimetière est plein et nous ne voulons pas procéder au renouvellement des tombes. Les parents n'auraient pu s'y opposer.

— Ce n'est pas la question, argumenta Kite. Ils ne reverront jamais leur fille, à présent... Psychologiquement, c'est très important de voir le cadavre. Dans le cas contraire, vous avez beaucoup de mal à croire que votre enfant est mort !

— Je le sais, monsieur l'ex-policier, cracha le médecin qui commençait à suer à grosses gouttes. Bolt est allé dire aux parents que nous avons transféré leur fille à l'hôpital pour quelques examens complémentaires. C'est une situation provisoire.

Paul souffla.

— Les parents ne vous croiront pas. Il est impossible d'accoster sur l'île avec cette tempête.

— Sir Grant ne laisse jamais rien au hasard. Quelques habitants du village ont dit avoir aperçu un bateau au large de Blackbird la nuit dernière. Certains affirment même qu'il se serait arrêté près du château délabré.

Le cœur de Kite s'emballa en une fraction de seconde. Le ferry livrant les bouteilles... Il ne l'avait donc pas rêvé. Il se tâta l'épaule machinalement. Alors, sa nuit dans l'antre de Wilfred n'était pas un rêve. Il s'était réellement battu avec ce fou. Il frissonna en fixant sa veste tachée et sa montre au cadran encore bien humide. Avait-il pu partager un même rêve avec d'autres habitants de Blackbird ? Comme si le marchand de sable lançait les mêmes grains sur chaque résident de l'île...

— Mais ce bateau, enchaîna Kite, vous y croyez ?

— Wilfred est bien capable d'en faire venir un par ce temps. Rien ne l'arrête.

— Sir Grant le couvrirait, auquel cas... Car comment expliquez-vous qu'il veuille justifier à ce point la venue d'un ferry par ce temps ?

Livingstone fit un pas en arrière, le visage horrifié. On eût dit que le diable venait de monter l'escalier. Kite se retourna. Alice marchait calmement vers lui, un doux sourire sur le visage, et salua les deux hommes. Elle continua sa route sans même se tourner vers la porte de son père, puis entra dans sa chambre.

— Je n'ai pas à vous répondre ! hurla subitement le médecin.

Kite savait qu'il ne pourrait plus rien tirer de lui. Pourquoi ce changement brutal de comportement ? Était-ce dû à l'arrivée d'Alice ? Ou bien simplement à une interrogation un peu trop indiscrète sur Wilfred ? Il tenta une dernière question.

— Vous n'auriez pas aperçu Thomas Derkemp, ce matin ?

— Non ! meugla presque le praticien. Cessez de m'importuner, à présent !

Le regard de Livingstone s'était figé dans une grimace. Il passa devant Kite et descendit l'escalier au pas de charge.

Alice. L'ex-inspecteur était persuadé que c'était la fillette qui avait terrorisé le médecin. Il devait reconsidérer la petite bouille angélique de la fille du milliardaire. D'abord Thomas qui la traitait de salope, puis Livingstone qui fuyait presque en la voyant...

Son discours n'arrivait pas à le convaincre. Il sonnait faux. Il disait avoir prescrit des antidépresseurs au milliardaire. Lors d'un tel traitement, on devait proscrire la morphine. Il se rappelait l'avoir lu sur la notice d'un de ses neuroleptiques. Livingstone marchait-il pour Wilfred ? Était-il une sorte d'agent double ? Il essaya de se convaincre que personne ne voulait tuer sir Grant, l'empoisonner à petit feu, que seule la maladie était en train de l'emporter... Il devenait paranoïaque. Aucun doute là-dessus. Il pourrait rajouter cette névrose à sa liste.

Son cerveau se concentra pour adopter la meilleure des solutions. Suivre Livingstone. Suivre le médecin pour savoir. Pour apprendre la vérité. Pour commencer à entrevoir les liens que Wilfred et sir Grant semblaient avoir tissés autour de lui.

Il descendit l'escalier à la hâte en essayant de faire craquer les marches le moins possible.

Si le médecin se retournait et remarquait sa présence, il prétexterait ses maux de ventre et exigerait une consultation.

D'ailleurs, il ne mentirait qu'à moitié. Une fois qu'il fut sorti du manoir, la douleur se raviva. Elle s'attaquait maintenant à sa vessie, rendant chacun de ses pas un peu plus pénible. Peu importait qu'il fût vêtu d'une simple veste. La pluie ne tombait plus sur Blackbird. La tempête semblait s'être calmée, abandonnant peut-être l'île pour de bon. Partir ? Rejoindre bientôt Michelle ? Paul ne savait plus. Avant, il voulait trouver.

13

Livingstone marchait vite. Il ne jeta pas un dernier regard vers le manoir au moment de franchir la porte. Il n'avait visiblement qu'un seul but : regagner son cabinet ou son domicile. Il faisait de grands pas, les bras le long du corps. Kite n'eut aucun mal à le suivre jusqu'au village. La route était suffisamment plate et dégagée pour pouvoir le filer à une distance importante sans le perdre des yeux.

« Tu n'as rien perdu de ton art de la filature », le nargua la voix de Wilfred. « Écoute le bruit de tes pas sur le gravier... Des crissements, rien de plus... N'importe qui d'autre se serait déjà fait repérer ! »

Kite ne savait plus pour qui marchait cette voix. Souvent les propos étaient injurieux ou bien moqueurs, mais quelquefois ils se révélaient d'une rare finesse, le fruit d'une excellente perception. Comment cela se pouvait-il ? Il laissa Wilfred répondre.

« Idiot ! Tu sais bien que c'est ton esprit qui parle et non moi ! C'est comme cela depuis le début... Tu es bien trop dépressif, bien trop lâche pour te faire des réflexions. Tu me hais et donc tu me mets tout sur le dos... »

Il ne chercha pas à réfuter cette argumentation et l'accepta telle quelle, sans même la reformuler. Il espérait simplement que cette double personnalité n'aurait jamais une existence physique et en resterait au stade psychique.

« Pour cela tu sais ce que tu dois faire... » conclut la voix. « Tu dois me débusquer et me faire mordre la poussière. Sans ça, point de salut... »

Quand le médecin pénétra dans le village, Kite redoubla de vigilance. Il savait où se trouvait le cabinet de Livingstone, mais ignorait l'adresse de son domicile. En fait, le bâtiment était assez grand pour que le médecin y logeât avec sa petite famille. À ce propos, avait-il des enfants ? Il tenta de discerner les auriculaires du médecin. Ils semblaient intacts, mais il ne put en jurer.

Ne pas se faire repérer par les habitants cachés derrière leurs rideaux. Tel était le but de Kite une fois parvenu dans les rues pavées du petit village.

Livingstone accéléra encore le pas. L'ex-inspecteur fit de même, en évitant de se focaliser sur ses douleurs. Il n'avait pas le temps de souffler contre un mur de pierre, le médecin ne l'attendrait certainement pas. Il devait tout d'abord visualiser son habitation. Ensuite, il pourrait peut-être se reposer quelques secondes.

Il ne s'étonnait plus de voir les ruelles vides du village. Mais ce matin, l'ambiance était aussi lourde que le temps. De gros nuages gris se dirigeaient droit sur l'île. Un orage terrible se préparait pour cette nuit. Il en était persuadé.

— Il y a toujours une tempête inouïe avant le retour du beau temps ! avait constaté un autochtone au pub l'autre soir. Vivement qu'elle arrive, qu'on puisse de nouveau être ravitaillé !

Kite en vint à espérer cet orage pour fuir. C'était un sentiment contradictoire. En un sens, il ne voulait pas revenir à Londres pour retrouver ses pantoufles sans avoir mis le point final à toute cette affaire. Il ne se voyait pas, vautré devant *Sky News* à longueur de journée, attendant d'hypothétiques nouvelles concernant Blackbird Island. Comment pourrait-il retrouver sa maison de Finchley, paisible banlieue londonienne, en sachant qu'à plusieurs centaines de miles se jouait une tragédie dont il détenait très certainement le rôle vedette? Avait-il le droit d'abandonner la pièce en plein milieu du dernier acte? Avant le trépas du seigneur des lieux?

Il devait considérer cette question. Pourquoi rester sur cette île fantôme, baignant dans une atmosphère fantastique, romanesque, alors que des maux de ventre vous tiraillent et nécessitent très probablement un traitement? Pourquoi s'échiner à continuer une enquête pour un homme mourant qui a ordonné l'incinération de la victime? N'était-ce pas la preuve qu'il voulait que cet homicide disparaisse avec Kite? À partir de maintenant il devait faire attention, très attention. Il n'existait plus aucune preuve tangible, à présent. S'il se présentait à la police écossaise, ils écouteraient leur ex-collègue avec compassion, puis chercheraient la cause de son arrêt de travail : psychose maniaco-dépressive. On le rassurerait et on le renverrait dans ses foyers en pouffant dans son dos dès qu'il aurait franchi la porte du commissariat de John O'Groats.

Ses pensées l'avaient presque déconnecté de sa course-poursuite. Il voyait maintenant le cabinet médical de Livingstone. Le praticien n'emprunta pas l'entrée principale, mais contourna le bâtiment pour s'y engouffrer par derrière. Il claqua la porte derrière lui, laissant Kite dissimulé derrière un poteau téléphonique.

Les présomptions de l'ex-inspecteur du Yard se vérifiaient. Le domicile du médecin était bien attenant à son cabinet. Kite ne pouvait pas prétendre y pénétrer. Et d'ailleurs, qu'y trouverait-il?

« Mon costume », le nargua Wilfred. « Une cape et un masque, par exemple ! Pourquoi ne serais-je pas un habitant de l'île qui se déguiserait pour faire peur aux autres ? Cherche les hommes qui n'ont pas l'auriculaire tranché et... »

Soudain, Kite se figea. Ses mains devinrent moites et son cœur se mit à battre violemment. Cette hypothèse ne lui sembla pas aussi dénuée de sens... Thomas Derkemp... Le jeune homme n'était-il pas arrivé quelque temps avant l'apparition de Wilfred ? Ses mains n'avaient pas subi d'amputation et sa disparition de ce matin pourrait très bien s'expliquer, si quelques heures plus tôt, il avait réellement défié et blessé le fou masqué...

« Tu brûles, Kite... Je sens d'ici ton odeur de transpiration... L'adrénaline qui sue de la peau des flics en chasse de leur gibier... »

Il n'arrivait pas à se convaincre de sa nuit au château. Pourtant Livingstone avait parlé d'un bateau venu accoster sur Blackbird... C'était inimaginable.

Paul tenta de se remémorer les grandes lignes de son entretien avec le directeur de l'école et il put interpréter chacune de ses paroles sous un autre jour. Le jeune homme continuait à donner les pommes de Wilfred pour asseoir sa propre autorité... Il avait prétendu ne pas savoir que Virginia était morte et avait joué l'alcoolique avec sa propre bouteille de *Bivill's*.... Quand il avait insulté Alice, c'était en espérant que Paul écoutait derrière la porte. Ces paroles élogieuses sur la fille de sir Grant étaient les seules sincères... À trop vouloir en faire, le directeur s'était presque trahi.

Derkemp aurait rapidement pris le milliardaire en grippe et lui aurait disputé l'autorité de l'île. En se déguisant, en exploitant la crédulité des autochtones, il pouvait aller au bout de ses convictions pédagogiques. Dans une école traditionnelle, on ne sanctionnait pas les parents trop sévères en leur coupant le petit doigt !

Mais alors pourquoi avoir tué Virginia ? Kite était de plus en plus persuadé qu'il s'agissait d'une mort accidentelle, d'un jeu qui avait mal tourné... Et cette histoire de distillerie ? Derkemp aurait voulu se donner une couverture en faisant de Wilfred un personnage à part entière, un chef d'entreprise mégalomane...

Il serra les dents en se rappelant une parole de Martha : « Thomas ne rentre pas certains soirs quand le ciel est magnifique. L'astronomie est sa passion ». Et s'il se rendait plutôt dans son château pour accueillir les enfants de Blackbird ?

Soudain un cri strident s'échappa de la maison de Livingstone. Par réflexe, Kite se colla encore un peu plus contre le poteau téléphonique.

Le médecin devait avoir de bonnes raisons d'être nerveux. Qui avait bien pu crier ? Sa femme, très probablement... Kite resta immobile. Il ne savait pas quelle attitude adopter. Au temps de sa splendeur, il se serait rué à l'intérieur du bâtiment. Et s'il s'agissait d'un guet-apens ? Livingstone avait très bien pu le repérer pendant sa filature et tenterait à présent de le pousser à pénétrer dans la maison.

Paul détailla les habitations tout autour de lui. Il se trouvait sur une sorte de petite place délimitée par quelques haies. Il pouvait très bien s'approcher un peu plus et se dissimuler derrière les arbustes. De cette position, il serait à même de voir derrière une fenêtre aux rideaux légèrement entrouverts.

Jouer au Sioux le faisait presque jubiler. Il se gourmanda de prendre du plaisir comme s'il était un enfant...

« Allons bon ! » intervint une fois de plus la voix. « Tu n'as encore rien compris des règles en vigueur sur mon île ? Tu veux que je te coupe un doigt ? »

Thomas « Wilfred » Derkemp continuait de l'importuner. Il était trop tôt pour accuser le directeur de l'école, mais Kite ne pouvait s'empêcher de le voir autrement qu'avec une cape sur le dos et un masque de corbeau à la main.

Il jeta un dernier coup d'œil et bondit sur la place, le corps coupé en deux. Il atteignit sans encombre les arbustes et s'y camoufla, la tête légèrement relevée pour regarder à l'intérieur de la maison.

La première chose qu'il distingua fut la tête d'un enfant. De gros yeux ronds et curieux essayaient d'être partout à la fois. Le nez du gamin était collé sur la vitre et formait une drôle de tache rouge. On eût dit qu'il montait la garde. Visiblement, il ne s'était pas aperçu de la manœuvre de Kite.

Paul s'était habitué à l'atmosphère de l'île. C'était devenu pour lui comme un second environnement, en marge du monde réel. Il réagissait à la manière d'un rêveur égaré, d'un esprit perdu dans un rêve si long qu'il se doit de l'apprivoiser. Il ne s'étonnait même plus qu'un enfant monte la garde à chaque fenêtre, très probablement pour que personne ne s'approche de la maison où l'on criait.

Le gamin décolla sa frimousse de la vitre après quelques minutes. Kite attendit en regardant sa montre. Il revint au bout de sept minutes trente exactement. L'ex-inspecteur patienta une demi-heure. Le manège se répéta. Il avait donc sept minutes trente de répit pour s'approcher de la maison redevenue silencieuse.

Il les employa, à peine l'enfant parti de sa position. Il rampa presque jusqu'à la fenêtre, en serrant les dents tant son estomac le lançait. S'il restait allongé avec ce mal de ventre toute la journée durant, il ne savait pas s'il pourrait supporter une telle douleur.

À l'intérieur, il ne distingua pas grand-chose. La pénombre régnait dans ce qui devait être le couloir communiquant entre le séjour et les chambres à coucher. Il devait absolument trouver un autre moyen de savoir ce qui se tramait dans le bâtiment. Le gamin s'en allait vers la gauche après son inspection, il devait donc continuer sa garde de ce côté.

Kite longea la maison vers la droite et arriva après quelques pas sur une autre fenêtre protégée par deux volets de fer. Il se résignait à continuer son tour, lorsqu'il se rendit compte que des interstices ponctuaient les volets à intervalles réguliers. Cela devait faire passer quelques rais de lumière dans la pièce. Il se persuada qu'il pouvait parvenir à voir quelque chose à travers. Mais il ne prit pas le risque et se reposa derrière un arbuste en attendant d'observer la ronde du gamin.

Une fois assis, il souffla un grand coup. Son cœur se serra. Il s'était placé devant les volets tout à l'heure... Si quelqu'un se trouvait dans la pièce à ce moment, il avait dû s'apercevoir de sa présence... Il se maudit d'être aussi imprudent, aussi rouillé... Il devait prendre son mal en patience et attendre que les habitants de la maison croient au simple passage d'un badaud.

« Un badaud sur Blackbird ! Tu rigoles, Kite ! »

Wilfred encore.

« Ils savent bien que personne ne s'approche plus de l'antre du sorcier Livingstone... L'homme qui greffe des ailes aux petites filles sur mes ordres... Qui empoisonne sir Grant à la morphine... »

Il laissa passer une demi-heure qui lui en parut le double. Le cadran de sa montre était à présent parfaitement sec. Kite sourit. Comme si elle le narguait... Comme si elle lui disait en substance : « Tant que tu hésitais entre le rêve et la réalité de ta nuit, je te montrais la réalité.

211

Maintenant que tu sais qu'un bateau est vraiment venu, je te fais croire au rêve... »

Tout était calme. Il tenta une avancée vers la fenêtre. Il devait se hisser jusqu'au premier interstice et lui seul, sous peine de se faire repérer illico. Il se trouva accroupi et se leva progressivement, surveillant les quelques boucles de ses cheveux pour qu'elles ne dépassent pas la limite fixée.

Ses yeux mirent un peu de temps à s'habituer à la curieuse lumière qui baignait la pièce. C'était une couleur bleu métal, à la fois sombre et d'une intensité quasi surnaturelle. Paul aperçut tout d'abord Livingstone. Il se trouvait à une table et parlait avec quelqu'un, un grand livre ouvert devant lui. Il semblait expliquer quelque chose à son interlocuteur en se référant sans cesse au gros volume. Kite devait monter son regard s'il voulait apercevoir le compagnon du médecin. Il s'y risqua et manqua tourner de l'œil.

ALICE !

C'était une Alice méconnaissable qui siégeait en face du médecin. Elle ne portait plus l'une de ses robes de petite fille mais un ensemble jupe et chemisier très sombre, austère même. Mais c'était surtout ce qu'il apercevait derrière la fille de sir Grant qui lui glaça le sang.

Une femme, très probablement Mrs Livingstone, était bâillonnée sur une chaise, comme un troisième invité à la table que l'on aurait privé de parole. Deux enfants la maintenaient en place en lui pressant les épaules. Les larmes qui coulaient sur ses joues étaient bleues. Elle remuait la tête en tous sens.

Les yeux de l'ex-inspecteur s'étaient parfaitement habitués à la lumière. Il distingua plus précisément les contours de cette pièce, qui devait être le salon. Une dizaine d'enfants se trouvaient également présents dans les recoins sombres. L'un d'eux jouait du piano. Un autre tentait d'apprivoiser le bilboquet posé sur la cheminée... Les gosses de Blackbird s'étaient invités pour le goûter chez ce bon vieux Dr Livingstone, et puisque Mrs Livingstone n'était pas trop d'accord, ils l'avaient bâillonnée ! La belle affaire !

Kite ne savait plus quoi penser... Il nageait en plein délire. Cette scène terrifiante ne détonnait pas avec la cérémonie du château délabré... Comment en était-on arrivé là ? Quelles étaient les motivations de ces enfants, Alice en tête, nécessitant tant de violence ? Et à ce propos, comment avait fait la fillette pour rejoindre si vite le cabinet du médecin ? Elle venait d'arriver au manoir quand Kite avait déserté à la suite du praticien.

« Idiot ! » l'informa la voix, comme s'il ne pouvait plus réfléchir en son nom. « Ça fait une heure que tu es là ! Elle n'a pas besoin de se cacher derrière les buissons, elle... Ma petite préférée est entrée par la porte du cabinet, voilà tout. C'est pour cela que tu ne l'as pas vue arriver... »

Paul reposa son regard sur la pièce. Rien n'avait changé. La femme de Livingstone pleurait toujours, alors que son mari, un rictus lui barrant le visage et tenu en respect par deux adolescents, continuait à converser avec Alice, en lui montrant des pages de l'encyclopédie posée sur la table.

Pourquoi séquestrer la femme du médecin de l'île ? Parce que c'est un notable important ? Pour qu'il crache les secrets de sir Grant ? Ou pour qu'il ne divulgue à personne, et surtout pas au milliardaire, les secrets de Wilfred et de... Alice ?

Kite entrevoyait une autre solution qui lui glaça le sang : et si Wilfred, par l'intermédiaire d'Alice, séquestrait le médecin pour lui dicter le traitement pour sir Grant... Et même pour lui demander de faire le minimum...

Alice.

Parricide.

Les lettres se mélangeaient dans l'esprit de l'ex-inspecteur et cette fois-ci, Wilfred ne vint pas les remettre en place. Mais pourquoi aurait-elle voulu tuer son père? Pour que le fou masqué triomphe enfin? Et s'il droguait les enfants pour les faire agir à sa guise? Il ne voulait pas le croire. Croire aux histoires des bons et des méchants, c'était un truc de mômes. Pas besoin de leur donner des substances hallucinogènes pour cela...

Kite recula jusque derrière les buissons et s'effondra littéralement. Que pouvait-il faire, maintenant? Ce serait une folie de forcer l'entrée de la maison pour prêter main-forte à Livingstone. Il y avait bien quinze gamins à l'intérieur du cabinet, et certains d'entre eux étaient déjà aussi grands que l'ex-inspecteur! Devait-il pour autant appeler Bolt? Le flic et son collègue ne feraient rien. Ils auraient bien trop peur eux aussi.

C'était cela le pire. Son impuissance totale face aux événements. Le fait de savoir qu'il ne pouvait pas agir seul. Sir Grant était maintenant trop souffrant pour l'assister. On revenait à cette cruelle alternative : rester ou partir? Rester pour ne rien faire et en être réduit au simple rôle de spectateur... Il se vantait tout à l'heure d'être l'un des héros de l'histoire, mais devant cette scène, il se rendait compte qu'il n'y avait bien que deux héros sur l'île : sir Grant et Wilfred. Et le premier allait rendre l'âme, ce qui signifiait, dans le code de tragédie shakespearienne, que le second serait adoubé par le peuple de Blackbird.

Wilfred.

Derkemp.

Pourquoi établir ce lien à présent? Il n'en était pas sûr... Loin de là.

Il n'avait plus envie de rester au manoir dans cette atmosphère pesante, sachant sir Grant mourant dans la chambre attenante à la sienne. Il était sûr que le milliardaire aurait pu être son ami s'il n'était pas tombé malade si vite.

Kite s'éloigna du cabinet de Livingstone et arpenta les rues désertes, le mal au ventre et des sanglots ne demandant qu'à sortir.

Il pensa à la mort en passant devant le cimetière et se demanda s'il ne vivrait pas mieux, une fois posé dans son cercueil. Tout devait être si simple, et puis il retrouverait ses parents, en attendant Michelle et Mary...

Ses pensées suicidaires revenaient. Il devait les chasser. Coûte que coûte. S'il avait pu appeler sa femme, il l'aurait fait, mais les lignes devaient encore être hors service. Il guetterait le ferry demain, pour quitter l'île. Il fallait que la tempête se calme. Que l'orage éclate ce soir.

Paul déménagea ses affaires et s'installa dans le pavillon du jardin, dans l'atelier d'écriture de sir Grant, là où personne ne viendrait le déranger. Il ne le dit même pas à Margaret, ni même à Judith. Elles ne remarquèrent pas son départ, trop occupées à veiller le mourant.

Il déposa sa valise à moitié défaite sur le bureau d'acajou et se laissa tomber sur le lit, encore habillé. Le contact du tissu sur ses joues le rassura et il se mit à pleurer sans pouvoir s'arrêter. Le sommeil vint après sa quatrième crise de larmes. La nuit n'était pas encore tombée.

Il s'endormit la tête remplie de figures sépulcrales, bercé par le vacarme de l'orage, alors que des éclairs phosphorescents déchiraient le ciel au-dessus des Orkney Islands.

14

Jeudi 5 avril

Ce fut Margaret qui réveilla Paul Kite en le secouant tant qu'elle pouvait.

— J'ai cru que vous étiez dans le coma! souffla la vieille femme en se laissant tomber sur un fauteuil.

L'ex-inspecteur se sentait mal. Une vive clarté illuminait toute une moitié de la pièce. Le lit restait dans l'ombre, ce qui lui permit d'identifier l'endroit où il se trouvait. Ses pensées étaient encore bien confuses. Il reconnut Margaret. Un nom s'échappa d'entre ses lèvres :

— Sir Grant?

La cuisinière déglutit.

— Il ne parle presque plus. Sa tête reste penchée sur le côté. Il ne peut même plus nous regarder. Le docteur Livingstone est passé ce matin. Il a rechargé la pompe à morphine en soupirant.

Kite s'assit sur le lit et se frotta les yeux. Il remarqua qu'il était encore tout habillé. La cuisinière vint déposer un plateau au fumet appétissant sur la table de chevet. Mais Paul n'éprouvait aucune sensation de faim. C'était étrange : au réveil, il avait toujours eu de l'appétit.

— Je n'ai pas faim. Merci, Margaret. Est-ce que le téléphone fonctionne de nouveau? Il faut que j'appelle ma femme...

— Au village, on murmure qu'il devrait être rétabli dans la soirée...

— Pas avant?

— Il est quatre heures de l'après-midi, Mr Kite...

Paul regarda sa montre et se leva d'un bond.

— Le ferry... balbutia-t-il. J'ai raté le ferry...

— Non, le rassura Margaret. Il n'est pas passé ce matin. La tempête s'est calmée, mais il est encore trop tôt pour envoyer un bateau. Demain, peut-être...

Demain. Kite serra les poings. Encore des heures à attendre. Et surtout une nuit à traverser. Il ne comprenait pas ces quelque vingt heures de sommeil... S'était-il réfugié dans cet état pour fuir la réalité? Il savait pourtant que ses nuits étaient peuplées de cauchemars.

« Tes journées aussi, Paul... » intervint Wilfred pour la première fois depuis son réveil. « C'est le paradoxe de Blackbird. Sur l'île, tes horribles cauchemars ne sont rien à côté des journées... »

À nouveau, la voix n'avait pas tort. Margaret prit congé de l'ex-inspecteur. Elle rapporta le plateau-repas préparé à son intention, mais laissa les serviettes de toilette. Il avait bien besoin de prendre une douche.

Nu, il se posta devant la fenêtre de la minuscule salle de bains. Son ventre était bedonnant comme jamais auparavant et le lançait atrocement. La douleur ne le choquait même plus. Au fil des heures, elle devenait une habitude. Kite avait peur. Sir Grant ne lui avait-il pas décrit les mêmes symptômes? Il préféra y voir une simple coïncidence. Une indigestion de son estomac, habitué en temps normal à se nourrir de cachets et de chips.

Il se savonna avec vigueur sous la douche. Il se sentait inutile. Incroyablement inutile. Comme tout ce qu'il entreprenait depuis quinze ans, ses vacances sur Black-bird étaient un échec. Que faire à présent, bloqué sur l'île jusqu'au lendemain? Car sa décision était prise : il regagnerait la côte dès que possible. À présent il se fichait bien de la vérité, de la gamine aux ailes de fée, de la femme du docteur ligotée par une horde de mômes, du fou masqué, du milliardaire mourant, du protecteur du monstre de loch Ness, du professeur d'école aux deux visages... Il s'en fichait. Il était temps qu'il pense un peu à lui.

« Tu te mens, Kite. Ce qui te sauverait, ce n'est pas de retourner t'enfermer à Finchley... C'est de triompher des mystères du pays des cauchemars... »

Paul lança son savon de rage. Le pain brisa l'unique fenêtre de la pièce et un vent glacial entoura immédiate-ment son corps. Il arrêta l'eau et se précipita pour enrou-ler une serviette autour de son torse.

Une fois de plus, cette maudite voix avait raison. Mais quand allait-elle le laisser en paix? Ne pourrait-il plus rien se cacher à lui-même jusqu'à sa mort? Aurait-il toujours cette conscience fantôme pour lui rappeler à chaque ins-tant la vérité? Il imaginait sans mal le sourire qui se des-sinerait sur le visage du psychiatre s'il lui avouait cela.

— C'est le dernier stade de votre guérison, Mr Kite! Vous recommencez à avoir votre libre arbitre. Il vous paraît insupportable pour l'instant, parce que vous consi-dérez justement l'inverse, que l'on vous dicte votre volonté. Rien n'est plus faux, car la voix n'est autre que votre propre conscience débarrassée de toute mélanco-lie, votre lucidité avant votre dépression, si je puis dire. Elle gagne irrémédiablement du terrain. N'essayez pas de faire fuir cette petite voix... Elle est là pour votre bien...

Accepter cet état de fait revenait à prolonger son séjour sur l'île. Mais pour quelle foutue raison?

Paul remit les vêtements de la veille, alluma un cigare pour soulager sa gorge et s'assit derrière le bureau de sir Grant. Il imaginait le milliardaire griffonnant des pages et des pages en fixant le rocher à la tête de corbeau qui se tenait majestueusement devant ses yeux. Un porte-plume était posé près d'un vieil encrier. L'homme devait faire fi des ordinateurs et autres machines pour se consacrer à la seule rédaction manuscrite. Ses cahiers devaient être couverts d'une écriture serrée, en pattes de mouches. Kite aurait aimé lire quelques lignes de la main de son hôte.

La curiosité l'emporta. Il tenta d'ouvrir les tiroirs. Après tout, en se comportant de la sorte, il ne commettait pas l'irréparable. Les enfants accompagnés de Wilfred n'auraient probablement pas hésité à tout saccager pour mettre la main sur un manuscrit. Mais les tiroirs étaient tous fermés à clef.

Le rouge lui monta à la tête. D'un geste violent, il tira la poignée et un craquement de vieux bois se fit entendre. Un tiroir céda et son contenu se répandit sur le sol. Au milieu des porte-plumes usagés et de divers bibelots, Paul aperçut des feuilles de papier noircies. Il s'en empara avidement. Des cendres de havane tombèrent sur les manuscrits. Il les chassa rapidement d'un revers de main. S'il n'avait plus grande envie d'affronter le corps moribond de Sir Grant, il restait fasciné par le personnage et ses nombreuses obsessions.

Il s'agissait d'un chapitre entier. Douze feuillets numérotés de 45 à 56. Kite entreprit de déchiffrer l'écriture.

Le mensonge le plus répandu sur terre consiste à présenter les rapports entre un papa et une maman comme un acte reproductif de l'espèce. Il ne s'agit ni plus ni moins que d'une distraction, qui, quelquefois seulement, aboutit à un enfantement.

L'homme est une bête et la femme en est l'innocente

génitrice. Il faut le marteler ici : vous devez prendre garde au plaisir solitaire et faire toujours attention à votre partenaire.

Votre jeune âge vous protège encore de ces vicissitudes, mais viendra le moment où vos sens s'éveilleront, où votre corps se transformera et réclamera sa portion de chair. Il est très maladroit de cacher aux enfants cet état de fait. C'est le meilleur moyen d'en faire de simples machines à plaisir, préoccupées par leur orgasme, presque dégoûtées par celui de l'autre.

Kite s'arrêta, bouleversé. Que signifiait cet extrait? Il n'osait même plus continuer la lecture du manuscrit. Sir Grant avait couché son obsession sur le papier. La préface qu'il avait dictée devait prendre place en début de volume, après une couverture frappée d'on ne sait quel titre fantaisiste...

Manuel de reproduction à l'usage des jeunes gens.

Comment partager en amour?

Ados, ne tombez pas dans le piège de la sexualité!

L'ex-inspecteur ne sourit même pas. Comment pouvait-on être aussi sûr de soi en n'ayant vécu l'acte qu'une seule fois? C'était bien ce que lui avait confié le milliardaire. Obnubilé par sa propre jouissance, il considérait que la femme n'était qu'une souche de pureté, couverte en toute occasion par un homme bestial...

Sir Grant devait avoir éprouvé un fort sentiment de rejet lors de son seul et unique rapport, cette même sensation que lors des premières masturbations, lorsque l'on a honte de ce que l'on fait, que l'on désire tout oublier et ne plus jamais recommencer.

Kite s'était de nouveau couché sur Michelle quelques jours auparavant. Mais ce n'était plus de l'amour, simplement de la tendresse. Trois ans d'abstinence pour le couple, purgés en quelques minutes, le temps pour sa femme de retrouver le chemin du plaisir. Il ignorait si elle avait ressenti son désintérêt, aveuglée par une sensation dont son corps avait été sevré. Elle avait dû voir cette scène pathétique dans la chambre du *bed and breakfast* comme un renouveau. Le mensonge de Paul, ce dernier coup de reins peu convaincant pour exprimer son délice, au moins avait-il eu la décence de le donner une fois Michelle rassasiée...

Était-il lui aussi obsédé par le partage des sensations? Se présentait-il comme le cobaye idéal pour sir Grant, capable de refuser tout plaisir simplement pour en donner? Il était simplement dépressif, voilà tout. Réfractaire au plaisir.

Kite relut quelques lignes.

Mais pourquoi écrire ces pages à l'intention des enfants? Pour les responsabiliser? Pour les rendre adultes avant l'heure? Wilfred menait le combat inverse. Était-ce pour provoquer l'homme au masque de corbeau? Le milliardaire voulait-il distribuer le manuel en grande pompe aux enfants de Blackbird pour gagner un point sur Wilfred? Il tenait tant à le terminer...

Kite remit les feuilles dans le tiroir défoncé et se prit la tête à deux mains. Par son ancien métier, il ne s'étonnait plus de la condition humaine, voguant entre les fous meurtriers et les cambrioleurs de bas étage. Mais ici, sur Blackbird, il était contemplatif de ces personnages hors normes. Chacun portait un trouble qu'il ne dissimulait même pas, contrairement aux gens de la ville.

On s'habille en costume pour faire rire les enfants, on dicte des préfaces sur son lit de mort, on écoute le monstre du loch Ness comme s'il apportait la parole du Christ...

Kite se sentait toujours fatigué malgré sa longue nuit.

Ce n'était pas seulement un épuisement mental, mais également physique. Ses douleurs au ventre reprenaient par intermittence et cela devenait insupportable. Il n'avait ni faim, ni même soif. Il cherchait simplement à meubler son esprit avec quelque chose en attendant de quitter cette maudite île. Le voilà revenu en arrière, au début de son séjour, quand il devait penser et repenser pour éviter de ressasser. Un changement notable s'était produit : à présent il ne cherchait plus la solitude, mais plutôt la compagnie. Il n'y décela pas un signe de guérison, tout juste une séquelle de son épuisement. Il n'arrivait même plus à se faire la conversation.

« Heureusement que je suis là ! » le nargua Wilfred.

L'ex-inspecteur crut y déceler un accent de Derkemp. Où pouvait bien être le jeune homme ?

Son espoir. Il le considérait comme son espoir, alors qu'il était très certainement son ennemi.

« Tu as toujours aimé la dualité, Paul. N'es-tu pas toi-même un schizophrène ? »

Les nuages étaient encore lourds, mais la pluie avait cessé de tomber. La mer était calme et le rocher à la tête de corbeau semblait bien moins menaçant sous les quelques pointes de soleil de cette fin d'après-midi.

Kite eut envie de marcher. Il passerait par l'école, puis se rendrait au débarcadère pour voir s'il y avait des informations sur le ferry. Que pouvait-il bien faire d'autre ? Fouiller ? Monter au chevet de sir Grant pour l'entendre affabuler ? Il prit sa veste et sortit. C'est alors qu'il se rendit compte que Michelle lui manquait terriblement.

L'école était vide. Les enfants n'étaient ni dans la cour, ni même en classe. Plus étrange encore, l'absence des professeurs. Ce n'était plus seulement Thomas, mais aussi Martha et Rosamund qui avaient déserté leur poste.

On était pourtant jeudi. Ce n'était pas le jour de congé. Kite entra dans le bâtiment et appela plusieurs fois le nom des professeurs.

Sa voix rauque et fatiguée se brisa sans succès contre les portes fermées. Il devait se rendre à l'évidence : même si les cours étaient terminés pour la journée, il resterait bien un adulte pour assurer l'étude ou même pour ranger les classes. Dans les salles, on avait tout laissé en place comme si on avait dû évacuer pour cause d'une alerte incendie.

Cette vision ne fit que rajouter de la lassitude chez l'ex-inspecteur. Il eut néanmoins une idée. Profiter de cette situation pour fouiller les pupitres de la petite Virginia et d'Alice Grant. Peut-être mettrait-il la main sur un élément important ou bien sur une des rédactions de la fille du milliardaire...

« Je croyais que tu avais cessé toute enquête, Kite. Je ne te blâme pas, remarque bien. Ton goût pour une justice exemplaire te conduira à ta perte. Comme toutes les utopies des hommes... »

Il n'avait que faire de cette philosophie de bazar. Il ne trouva pas la place de Virginia, mais repéra sans mal le pupitre d'Alice grâce à une plaque dorée disposée sur le côté.

Il était entièrement vide.

Comme un réflexe, Kite souleva celui de sa voisine.

Vide.

Celui à sa droite.

Celui d'en face.

Tous vides. Il les ouvrit un à un et ne put que constater que tous les pupitres avaient été vidés. Comme si les enfants avaient subitement changé d'école. Le bureau du professeur était, lui, encore plein de crayons, de copies et de livres. Au tableau, on pouvait lire une phrase écrite par la main d'un enfant : NOW GOD BE THANKED THAT ALL HAS

NOT BEEN IN VAIN! SEE! THE SNOW IS NOT MORE STAINLESS THAN HER FOREHEAD! THE CURSE HAS PASSED AWAY![1]

Kite frissonna. Il reconnut les dernières paroles de Mr Morris dans le *Dracula* de Bram Stoker, une de ses lectures adolescentes préférées. Il quitta l'école en vitesse. Il ne savait pas comment expliquer son état d'esprit, mais il sentait confusément que quelque chose se tramait sur l'île. Une sorte de bouquet final que Wilfred préparait avec les enfants. Thomas Derkemp guidant les gamins pour venir investir le village et saccager l'école, Martha et Rosamund nommées lieutenants, chacune en charge d'un bataillon. C'était l'explication de cette école déserte. Une fois les cours terminés, les gosses n'étaient pas rentrés chez eux mais partis au château délabré pour se préparer...

Les ruelles du village étaient désertes. Personne ne circulait, pas même un adulte. Kite passa devant la maison de Livingstone, mais ne s'y arrêta pas. Il continua son chemin solitaire vers la guérite de l'embarcadère.

Aucun horaire n'y était placardé. Pas la moindre annonce. L'ex-inspecteur se reposa quelques instants sur un talus avant de reprendre son chemin vers nulle part. Son estomac et son œsophage le brûlaient à présent. Il ne savait plus quoi faire. Pour la première fois de sa vie, il serait allé vers un médecin les bras ouverts. Vers un médecin, se répéta-t-il, sûrement pas vers Livingstone, l'agent double.

Prisonnier.

Il était le prisonnier de Blackbird, condamné à errer

---

1. Dieu soit remercié, dit-il enfin. Tout cela ne fut pas vain, regardez! La neige n'est pas plus pure que son front. La malédiction est terminée. (Traduction de Jacques Finné, Éditions Pocket.)

sans fin sur l'île, les méninges en explosion perpétuelle, l'imagination à dix-sept mille tours-minute. Il s'arrêta devant le pub *The Wild Boar*, fermement décidé à venir y prendre un verre. Il n'entendit pas de musique à l'intérieur, juste quelques murmures.

Kite poussa la porte, mais personne ne sembla y faire attention. Il n'y avait qu'un groupe de quatre personnes jouant aux fléchettes et un homme au comptoir qui lui tournait le dos. Soudain, Paul reconnut un des joueurs. Il se dirigea vers lui comme s'il venait de voir une bouée de sauvetage sur le pont d'un navire en train de sombrer.

— Herbert!

Sa voix était toute chevrotante. Le garçon boucher plissa les yeux dans un premier temps, puis accepta l'accolade de Paul lorsqu'il reconnut son compagnon de traversée.

— Bloqué sur l'île, vous aussi?

Kite hocha la tête.

— C'est mon patron qui ne va pas être content, pouffa le jeune homme. Je devais l'aider au magasin cette semaine.

Il devança les questions de Paul.

— Un des habitants m'a prêté une chambre pour ces quelques jours. C'est terrible, cette tempête, n'est-ce pas? Je n'ai pas eu le temps de m'ennuyer! Je suis devenu un as des fléchettes. À John O' Groats, il va falloir s'accrocher pour me battre!

Il se mit à rire, imité dans la seconde par ses partenaires, des hommes que Kite avait entraperçus lors de sa première visite au pub. Il continua, intarissable:

— On m'a dit que vous logiez chez sir Grant? Paraît qu'il est au plus mal en ce moment. C'est vrai?

L'ex-inspecteur s'assit. La couleur de la bière, les gouttelettes d'eau sur le verre ne lui firent même pas envie.

— Oui, articula Paul. Mais je ne loge plus au manoir. C'est trop éprouvant. As-tu des informations sur le ferry?

Un des joueurs toussa. Herbert s'excusa une dizaine de seconde pour aller lancer ses flèches. Il revint en haussant les épaules.

— Pas de nouvelles. Je pense qu'ils enverront un bateau quand la mer sera vraiment calmée. Demain matin, peut-être. Tenez-vous prêt à huit heures. Comment s'est passé le séjour, pour vous?

Kite leva les yeux vers le jeune homme.

— Mal. Vous n'avez pas entendu parler d'une petite fille morte...

— Elle est morte? se raidit Herbert et avec lui les trois autres joueurs.

Il ne prit même pas la peine de démentir. Il ne répondit simplement pas. Il s'adressa à la volée aux trois insulaires. Ils détournèrent presque la tête lorsqu'ils s'en aperçurent.

— Vous n'avez pas vu Thomas Derkemp, le professeur de l'école?

L'un des hommes marmonna que non, puis ils s'éloignèrent vers le comptoir, leurs verres vides à la main.

— Vous n'avez pas l'air d'avoir un bon contact avec les autochtones, constata Herbert. Ils sont assez spéciaux, mais vous n'avez probablement pas fait assez d'efforts...

— Ce n'est pas faute d'avoir essayé, soupira l'ex-inspecteur.

Le jeune homme prit congé pour aller rejoindre ses compagnons de jeu. Kite se retrouva de nouveau seul.

« Va voir le fameux Douglas, Paul! Lui te fera la conversation... Il paraît que Nessie a avalé un mouton de travers l'autre soir et qu'elle souffre depuis d'une forte gêne digestive... C'est pour cela qu'en ce moment le loch Dor-

noch ressemble à une casserole d'eau en train de bouil-
lir... »

Mais où allait-il chercher tout cela pour le faire susur-
rer à Wilfred ?

— Assez ! cria-t-il pour lui.

Mais, comble de sa solitude, personne ne se retourna.
Il quitta le pub, en sachant pertinemment qu'il n'y remet-
trait jamais les pieds.

De retour au pavillon, il s'enferma à double tour et
glissa la clef sous son oreiller comme lorsqu'il dormait,
tout gamin, dans la grange de son oncle. L'horloge indiquait sept heures cinq. Il s'assit au bureau et décrocha le
combiné sans trop y croire. Aucune tonalité. De rage, il
balança le téléphone contre le miroir. Devait-il finir le
récit de Bram Stoker ? Devait-il enfin mettre un terme au
jeu de piste des gamins ? Une petite fille aux ailes de fée,
un milliardaire moribond, une fillette aux airs de Machiavel, des disparitions, une population soudée contre
l'étranger, et puis quoi ensuite ? Un touriste anglais
dépressif retrouvé les poignets tranchés dans le pavillon
du jardin ?

« And, to our bitter grief, with a smile and silence, he
died, a gallant gentleman. »[1]

C'est en empoignant un morceau de verre que le
regard de Kite fut attiré vers le mur. Derrière l'armature
du miroir détruit, un boyau se dessinait. Un trou étroit
suivi d'une volée de marches.

On eût dit qu'il venait de découvrir un passage secret.

---

1. Et à notre immense peine il mourut, souriant, silencieux, en
homme noble et courageux.

15

« Eh bien, Paul! Engouffre-toi. Peut-être viens-tu de découvrir l'entrée de mon royaume? »

Son cœur se déchaînait dans sa poitrine. Un miroir amovible dans le pavillon. Un souterrain menant où? Le manoir? Le château?

Il se retrouvait encore une fois dans cet univers de conte de fées propre à Blackbird Island. Même un pavillon dans un jardin était retouché pour se fondre dans l'ambiance romanesque de l'île et de ses personnages.

Kite hésita à entrer dans le tunnel. Il s'accroupit et se pencha à l'intérieur. Cela n'avait rien à voir avec un boyau aux parois de terre manquant vous ensevelir à chaque pas. C'était un beau conduit soutenu par des linteaux de bois presque neufs. Une construction récente, sans aucun doute. Le sol était lisse, balayé même. Il n'y avait pas de gravats sur le sol. Sur la droite juste après l'entrée, une lampe de poche était accrochée. Elle pendait, immobile, narguant presque Kite de sa présence.

Son rythme cardiaque se ralentit. La présence de la torche indiquait que le souterrain devait être souvent emprunté et qu'il ne s'agissait pas d'une sombre oubliette.

« Par qui ? » était la question qui taraudait le plus l'ex-inspecteur du Yard. Sir Grant ? Le milliardaire sortait-il par cette issue après ses longues séances d'écriture ? Alice ? La petite fille avait-elle trouvé là un moyen de quitter en douce la propriété ? Ou bien Judith, qui cherchait à retrouver un galant ?

« Peureux ! » ricana la voix de Wilfred. « Tu te perds en conjectures, bien que tu ne saches même pas où il va te mener... »

Devait-il emprunter ce passage ? Il ignorait pourquoi cette question revenait sans cesse dans son esprit, alors que pour lui la chose était entendue : il se glisserait au plus tôt dans le boyau.

Mais il ne voulait pas pénétrer à l'intérieur du souterrain précipitamment, surtout sans équipement.

« Quel équipement, Paul ? Tu plaisantes, n'est-ce pas ? Tu crois pouvoir trouver un flingue ici ? »

Les minutes passèrent. Kite s'était assis sur le canapé, face au mur. Qu'attendait-il ? Que quelqu'un sorte du trou, que quelqu'un vienne à sa rencontre pour le guider ? Comme à la sortie de la prison dans le château de Wilfred... Il était persuadé que le tunnel débouchait dans l'antre de l'homme masqué. Il était temps de le vérifier.

Après s'être assuré que la porte du pavillon était bien fermée, il se courba en deux et pénétra enfin dans le boyau, la lampe de poche tendue droit devant lui.

Sur quelle distance l'ex-inspecteur du New Yard arpenta-t-il ce tunnel monotone, longiligne et trop propre pour être honnête ? Il estima son parcours à un peu plus d'un mile au moment de poser le pied sur la première marche de l'escalier le menant droit vers la porte de sortie. Ce devait être à peu de choses près la distance entre le manoir de sir Grant et le château de son ennemi.

Le milliardaire connaissait-il l'existence de ce souterrain? Kite l'ignorait et doutait qu'il pût la lui apprendre. Peut-être était-il déjà mort?

Il ne devait pas se laisser distraire de la sorte mais plutôt se concentrer sur son avancée. Il ne savait pas où il allait, ni ce qu'il cherchait, mais il se sentait pleinement réveillé, en forme même...

« Tu es prêt à me défier une seconde fois, Kite? Prends garde à toi... J'ai donné consigne à mon armurier d'affûter et de polir mon épée... Cette fois, lorsqu'elle te touchera l'épaule, elle te déchirera la carotide! »

Paul chuchota un « Je suis prêt » et accrocha la lampe de poche au crochet vacant. Il posa son oreille contre la porte. Rien ne lui parvint et il décida donc de tourner la poignée.

Il déboucha dans une pièce carrée de petite taille et dont les murs étaient blancs. Une porte était fichée dans le mur en face de lui. À sa droite, il aperçut une armoire blanche. Il était seul et un rapide coup d'œil dans les coins lui permit de constater que la pièce n'était pas sous surveillance vidéo. On n'était jamais trop prudent.

Kite ne savait toujours pas où il se trouvait. Par curiosité, et avant de franchir l'obstacle que constituait cette nouvelle porte, il se dirigea vers l'armoire et l'ouvrit. Au premier regard, il identifia son contenu.

Accrochée à un cintre, une cape noire n'attendait plus que son modèle. Trois paires de bottes identiques étaient soigneusement alignées dans le bas du placard. Sur une étagère, le masque favori de Wilfred fixait Kite de ses orbites vides.

Ces découvertes confirmèrent ses soupçons. Le souterrain aboutissait bien au château délabré. Cette pièce, c'était là que l'un des habitants de Blackbird se changeait en Wilfred pour accueillir ensuite les enfants qui devaient emprunter le chemin par la lande.

Si l'on admettait que Thomas se travestissait pour jouer le personnage de l'homme masqué, sir Grant serait son complice en lui permettant d'accéder au passage secret. C'était le chemin rêvé pour rejoindre le château en partant de l'école sans se faire voir.

Thomas avait-il entendu parler du passage secret lors d'un de ses dîners arrosés avec le milliardaire? Avait-il demandé l'autorisation à sir Grant pour l'emprunter? C'était impossible... Ou alors ce dernier connaissait l'identité de Wilfred et l'avait cachée à Kite pendant l'enquête...

Toutes ces conjectures brouillaient son attention et il se devait d'être au maximum de ses capacités sur ce territoire inconnu.

Il écouta de nouveau à la porte et n'entendit aucun bruit. Il sortit, persuadé qu'il se trouvait seul à ce moment.

Kite pénétra dans ce qui devait très certainement être l'une des pièces les plus spacieuses du château. Il se trouvait au cœur de la distillerie. Il compta des milliers de bouteilles disposées sur des casiers accrochés au mur. Sur chacune d'elle était collée une étiquette *Bivill's* représentant la tour en ruine d'un château sur laquelle était majestueusement perché un corbeau. Il y en avait pour une belle petite fortune de whisky!

Mais ce qui intéressa le plus Paul se trouvait dans la pièce attenante. Il remarqua les caisses entreposées dans un coin, ces caisses que le bateau avait débarquées l'autre soir avant de sombrer. Des planches d'étiquettes traînaient sur un établi tout proche. Il regarda derrière lui pour s'assurer que personne ne l'avait repéré et gagna la palette.

Les bouteilles étaient de la même taille, l'alcool de la même teinte que la cuvée *Bivill's*. Il suffisait de coller l'étiquette pour en faire un whisky de Blackbird. Kite comprit le stratagème de Wilfred. Pour se construire une existence propre, il s'était fait passer pour un entrepreneur désireux de s'installer sur Blackbird Island. Il avait débarqué tout un matériel en connaissant à l'avance son inutilité. Tout cela pour faire plus vrai. Ensuite, il devait se faire livrer son whisky de la *Highland Park Distillery* à Kirkwall sur l'île principale. Ainsi, on ne pouvait mettre en doute le savant parfum du breuvage. Il suffisait à l'homme au masque de corbeau de demander aux enfants de coller les étiquettes et le voilà prêt à être bu.

Mais Derkemp était-il assez riche pour organiser tout ce trafic? L'image du milliardaire mourant se glissait insidieusement dans son esprit. Et si sir Grant avait recruté Thomas pour en faire son cheval de Troie, un comédien qu'il pouvait manier à sa guise? Pour amuser les enfants de l'île, et surtout pour inciter les parents à ne pas les élever trop sévèrement... Le jeune homme dirigeait un centre d'éducation pour élèves en difficulté avant de venir sur Blackbird. Tout cela se tenait.

« Cogite, mon bon Kite! Cogite! Il te reste si peu de temps avant le tomber de rideau! »

Paul quitta la pièce et s'enfonça un peu plus encore dans la distillerie. Rien n'avait été laissé au hasard. Pour simuler l'installation d'une véritable fabrique, Wilfred n'avait pas lésiné sur les moyens en faisant venir des cuves de brassage pour le malt, d'autres pour la fermentation. Des salles entières du château étaient dévolues à ces machines. Elles étaient neuves et n'avaient encore jamais servi, comme en témoignaient les garanties encore intactes collées sur chaque élément. Ce qui marqua le plus l'ex-inspecteur, c'était la parfaite étanchéité de l'endroit. Les murs gris semblaient intacts, on se serait cru dans un bâtiment ultra-moderne construit à la façon médiévale, une sorte de château de parc d'attraction destiné à plonger les touristes dans un Moyen Âge d'opérette. Lorsque l'on regardait la bâtisse délabrée de l'extérieur, on ne pouvait imaginer un tel aménagement intérieur.

La pièce attenante était la salle des fûts. C'était dans ces tonneaux de chêne que l'on déposait le distillat incolore pour qu'il perde une partie de sa teneur en alcool, mais y puise sa couleur et son arôme. Afin d'obtenir l'appellation scotch, trois années de vieillissement étaient au minimum nécessaires. Wilfred ne s'embarrassait pas de ces principes séculaires !

Cela faisait un bail que Paul n'avait pas bu de whisky. Cette visite ranima en lui une furieuse envie de sentir à nouveau le liquide ambré sur son palais, puis sur son larynx malade. Mais il se devait de résister à cette tentation. Les douleurs de sa gorge ne s'étaient pas calmées, mais l'habitude de vivre en leur compagnie les avait occultées au profit de ses maux d'estomac.

Il continua son exploration. Il arriva dans une grande salle où étaient dressés deux énormes alambics. Il faisait moite et c'était tant mieux. Cette visite surprise dans la distillerie de Wilfred, cette intrusion grâce à un passage secret ne cessait d'exciter Kite. Sa concentration était toute dirigée vers sa quête. Il n'y avait plus de place pour sa souffrance physique.

Les alambics l'impressionnèrent. Bien sûr, ils ne fumaient pas et leurs parois étaient froides comme de la glace. C'est en les contemplant que l'ex-inspecteur se demanda quels enseignements il pourrait bien tirer de cette visite. Il stoppa sa marche.

« Aucun ! » s'enthousiasma Wilfred. « Tu pourras toujours te targuer au village d'avoir violé mon territoire, mais personne ne t'écoutera. C'est comme cela depuis le début, Paul. Même sir Grant n'avait rien à faire de tes investigations. Il t'a confié l'enquête sur Virginia pour te tenir en laisse comme un petit chien... C'est comme le téléphone! Crois-tu qu'au début du xxie siècle, un réseau puisse être coupé plusieurs jours à la suite d'une tempête? On te ment, Paul... Ils attendaient d'avoir incinéré le corps de Virginia pour rétablir les lignes! Plus de trace... Va donc convaincre la police écossaise qu'on a cousu des ailes de fée sur le dos d'une fillette... Les flics ne le croiraient pas. Surtout venant de toi, Paul... Avec tes brillants états de service... Ils ont tout prévu... MAIS QUI SONT-ILS? »

La voix avait hurlé cette dernière question dans la tête de Kite. L'ex-inspecteur s'aperçut qu'il avait en fait hurlé lui aussi. Le silence retomba d'un coup et il le goûta avec délectation.

C'est alors qu'il entendit des chuchotements. Il se leva et bondit pour se cacher derrière un alambic. Son cri avait rameuté le service d'ordre de la distillerie. Il s'attendait à voir surgir de l'entrée trois gamins armés jusqu'aux dents. S'il se faisait attraper, il passerait en jugement au tribunal et serait condamné à la pendaison, comme au temps des contrebandiers. Il s'imagina malgré lui la scène du procès. Sir Grant, le juge, tenant à peine assis, affublé d'une perruque blanche qui tombait toutes les trois secondes; Alice, le procureur, debout derrière son pupitre et vociférant la longue liste des actes d'accusation; pas d'avocat pour sa défense, mais un public entièrement acquis aux invectives de la fillette, crachant sur lui malgré les injonctions d'un sir Grant fiévreux...

Personne ne vint. Les chuchotements ne s'étaient pas tus pour autant, ni même rapprochés. D'où pouvaient-ils provenir? Il posa une oreille contre le cuivre comme pour se rassurer.

Le visage de Kite se figea.

Il entendit murmurer *à l'intérieur* des alambics.

Il tourna tout autour des hautes tours de cuivre. À chaque fois qu'il posait son oreille sur la paroi, il entendait des chuchotements lointains. Il se dirigea à grands pas vers l'autre alambic pour constater la même bizarrerie.

Il se doutait bien que les grands distillateurs seraient vides. Si Wilfred faisait importer son whisky et simplement coller les étiquettes aux enfants, les alambics n'avaient plus aucun emploi viable. À moins que ce fou masqué ait décidé de les aménager... pour ses gamins, justement!

Quelle idée de détraqué! Construire son repaire non pas simplement dans les fondations d'un château délabré, mais encore en y donnant accès par des alambics... Voilà de quoi déchaîner l'imagination d'un gamin féru de repaires secrets!

Paul ne pouvait s'arrêter ici. Le plus intéressant était à venir. Il devait aller à la rencontre de ce peuple mystérieux, de cette confrérie de l'alambic, se rendre compte lui-même de ces réunions d'enfants.

Mais par où pouvait-on entrer?

Il avisa quelques prises fixées sur la paroi de la tour de cuivre. Devait-il escalader l'alambic, puis ouvrir la trappe à son sommet pour descendre?

Kite sourit. Il s'en étonna, mais une envie de rire l'envahit tout d'un coup.

« Tu retombes en enfance, Paul! Tu réagis comme un gamin devant une telle promesse d'aventure... Grimpe sur cette montagne et en haut, tu trouveras l'Olympe de ton enfance évanouie... »

Il agrippa la première prise et rampa presque pour arriver au sommet. Ce fut chose faite en moins de trois minutes. Il s'était juste arrêté un instant pour soulager sa bedaine qui frottait contre le cuivre.

Une fois tout en haut, il se releva maladroitement. Un dilemme se posait.

Devait-il ouvrir l'alambic ou tout d'abord vérifier que personne ne se trouvait dedans? Il se répéta la question plusieurs fois pour se convaincre de sa réalité... Mais par quel moyen vérifier?

En fait, ce qu'il craignait le plus à présent, ce n'était même pas de se faire attraper, c'était d'ouvrir cet alambic et de découvrir qu'il était tout simplement vide.

Kite prit sa respiration. Pas d'autre solution, il descendrait à l'aveugle. Il ouvrit le couvercle et, instantanément, une lumière éblouissante lui sauta à la figure et dispersa un halo sur le plafond de la distillerie. Il pencha la tête, le cœur battant.

Une échelle lui apparut. Il expira en tentant de maîtriser son souffle. Sa théorie se confirmait. Il se pencha de nouveau et ses yeux s'habituèrent à l'éclairage intense de l'endroit. Il ne pouvait en distinguer le fond. Un comité d'accueil l'attendait peut-être, mais il ne pouvait pas le voir.

Il descendit néanmoins en prenant le plus de précautions possible, en marquant chaque barreau et en posant le pied fermement pour que les semelles de ses chaussures ne couinent pas. Les voix se précisaient au fur et à mesure de sa descente. Il était abasourdi par la décoration des parois intérieures des alambics, entièrement recouvertes de dessins d'enfants. Des spots puissants éclairaient l'endroit.

Il se reposa quelques instants avant de mettre pied à terre. Après cet effort, son ventre se remit à le chahuter.

Il n'y fit pas attention et marcha à pas de loup vers la gauche, l'endroit d'où provenait les chuchotements. Il était un explorateur de rêve, un personnage de conte plongé dans une réalité fantasmagorique...

Il n'y avait personne dans le couloir aux murs recouverts des mêmes dessins grossiers. En détaillant les ombres sur le sol — et en notant qu'il devait faire attention à la sienne —, Kite parvint à distinguer l'ouverture du mur à quelques mètres de lui. Le couloir bifurquait pour donner accès à une pièce dans laquelle résonnait la voix. Une voix que Kite ne put que reconnaître tout en serrant les dents.

Alice Grant.

Il s'agissait du timbre si caractéristique de la petite fille. Elle parlait calmement, mais l'écho dans le couloir empêcha Paul de comprendre la teneur de ses propos. Cela serait chose faite dans quelques secondes, quand il tournerait au coin et arriverait dans la pièce. Il imaginait déjà la blondinette sur une estrade, haranguant les autres enfants, Wilfred-Derkemp paisiblement assis, un sourire aux lèvres, se délectant du charisme de sa protégée...

Soudain Kite s'arrêta.

« Je ne peux pas entrer dans la salle comme cela. Je vais me faire écharper. »

Sa voix reprenait le dessus. C'était l'indicateur de l'omniprésence de Wilfred. L'homme au masque de corbeau ne devait pas se trouver bien loin.

S'il décidait de continuer, c'était à l'aveugle, sans connaître la disposition des lieux, en flic débutant trop habitué aux séries télé. La folie coulait dans ses veines bouillonnantes. Il ne pouvait plus reculer. Pour quoi faire ? Sortir et ameuter tout le village au sujet des alambics ? Qui le croirait à présent ? Il devait continuer car son salut passait par la vérité. De cela, Kite était sûr.

Il prit sa respiration et se figea à l'angle du mur pour passer la tête.

Une scène lui apparut. Agir vite... Sa seule chance... Il voulut tout de suite la faire glisser hors de sa conscience. Juste aviser le pilier dans le fond pour s'approcher et rester invisible aux yeux des enfants. Il devait se dépêcher sinon Alice remarquerait sa présence. Elle était la seule à lui faire face, fort heureusement suffisamment loin. Il fit un pas, puis deux, et toucha le pilier. Ses mains humides glissèrent contre la pierre. La pièce était semblable à celle où il s'était battu avec Wilfred. Sur le trône, Alice siégeait, dans une robe de dentelle digne d'une princesse. Et tout autour, les enfants la fixaient, tous vêtus d'un costume de combat.

La fillette cria « À mort ! », le poing serré, et son auditoire l'acclama. Kite se raidit encore un peu plus contre le pilier en priant tous les dieux du monde pour que cette scène fût seulement le fruit de sa perception cauchemardesque des événements.

Où Alice harangue ses ouailles sur les différences
anatomiques entre l'enfant et l'adulte.

*Ce soir, Alice était en pleine forme. Sa journée s'était
déroulée comme elle l'entendait et c'est pourquoi elle
avait décidé d'avancer d'une heure la revue d'armes de
ses soldats. Un messager avait colporté la nouvelle dans
toutes les chambres il y avait à peine une demi-heure.*

*À présent, tout le monde était réuni dans la salle où
trônait la petite fille. Les costumes resplendissaient et
cela lui fit chaud au cœur. C'était la récompense de
trois mois de travail acharné, à dessiner les vêtements,
puis à choisir les pièces de tissu et les divers accessoires.
Alice était très fière de son armée et ne se priva pas de
le dire dans un long monologue qu'elle termina par ces
mots :*

*— Puissiez-vous vous montrer dignes des couleurs
que vous portez! Ce que nous nous apprêtons à faire,
ce n'est certainement pas une lubie d'enfant comme
certains diront, c'est un aboutissement, un appel à nos
amis de la planète entière... Nous devons donner le plus
de force possible à l'événement pour que les caméras
du monde entier se succèdent sur Blackbird et impri-
ment notre triomphe dans les mémoires collectives!*

*À chaque fin de phrase, la salle applaudissait à tout
rompre. Cela ne faisait que pousser Alice vers plus de*

239

démonstration. Pour une fois, la blondinette sortait de sa réserve et se comportait comme un tribun génial. Elle pesait chaque mot avant de le déclamer, utilisait un accent tonique pour appuyer certaines idées. En s'écoutant, elle se disait qu'elle ferait saliver beaucoup de souverains et de ministres.

Puis vint l'heure de la revue des troupes. Les enfants s'alignèrent en quatre rangées. Devant le trône, la première ligne des éclaireurs, composée de fillettes âgées de cinq à neuf ans.

— Votre petite taille et votre faible poids vous permettront de nous guider, constata Alice en passant la main sur les cuirasses des combattantes. Je vous donne l'ordre de vous trouver toujours devant nous. Vous désignerez deux d'entre vous pour assurer le relais avec l'arrière.

Ce discours, elles l'avaient déjà entendu des centaines de fois.

Ce fut le tour de la seconde ligne, des garçons très jeunes pour la plupart, râblés pour leur âge, portant de lourds casques de fer.

— Vous êtes mes défricheurs! s'enorgueillit Alice en tâtant leur crâne. Vous devez vous tenir prêts à déterrer ou à trancher tous les arbres sur notre route, à défoncer toutes les portes situées entre nous et nos objectifs.

Ce discours, ils l'avaient déjà entendu des centaines de fois.

Elle contourna les enfants aux sourires ravis pour atteindre la troisième ligne, composée équitablement de garçons et de filles. D'âge moyen, ils portaient tous le même uniforme. Une dague à la ceinture, ils se raidirent lorsqu'Alice passa devant eux.

— Mes gardes! proclama-t-elle en flattant la nuque

de chacun d'entre eux. Gardez vos yeux fixés sur moi. Ne me lâchez pas d'une seule semelle. Je vous donne l'ordre de saigner toute personne me menaçant. Est-ce que cela est clair?

Les bambins approuvèrent tous d'un hochement de tête.

— Même si vos parents me menacent, il vous faudra les supprimer... insista la reine Alice.

Ce discours, ils l'avaient déjà entendu des centaines de fois.

La blondinette les abandonna pour atteindre le fond de la salle, là où se tenait la dernière ligne de l'armée, composée des garçons les plus robustes du groupe. Ils portaient tous une lourde cuirasse de fer, un heaume, une hache à la main et une épée à la ceinture.

— Tournez-vous tous! ordonna-t-elle aux troupes rassemblées derrière elle.

Les enfants la fixèrent avec envie.

— Après moi, vous devez allégeance à mes égorgeurs. Casper commande ce groupe.

Un jeune homme s'avança vers la petite fille et s'agenouilla. Alice en profita pour lui tâter les muscles des bras.

— Je n'ai pas eu le temps de faire une enfant. Si je viens à mourir au combat, Casper prendra ma succession.

L'adolescent hocha la tête.

— Casper est mon garde du corps personnel, déclara Alice.

Elle continua son inspection sur la rangée et s'arrêta tout à coup. Arrivée devant un de ses combattants, elle écarquilla grand les yeux et devint toute rouge. Son doigt tremblant désignait les lèvres du garçon.

— Tu as de la moustache! trépigna-t-elle. Tu sais bien que je ne le tolère pas. Si les poils commencent à

envahir ta peau, c'est que tu deviens adulte et que tu n'as rien à faire au sein de notre armée!

Il rougit à son tour.

— C'est que... bafouilla-t-il sans pour autant finir sa phrase.

— Baisse ton pantalon! le somma Alice.

Le garde n'hésita pas une seule seconde et se retrouva cul nu dans la salle. Personne ne broncha. Certaines filles détournèrent même le regard. La reine, elle, fixa intensément le pubis de son égorgeur.

— Tu as des poils! hurla-t-elle comme si elle venait de voir le diable pour la première fois de son existence. Je vois des poils sur ta peau. Tu n'es plus un enfant! Trahison!

Un brouhaha emplit la salle du trône. Les gardes sortirent tous leurs dagues.

— Casper se rase! lâcha subitement le jeune homme incriminé en espérant que la dénonciation du favori de la souveraine le sauverait. Il me l'a confié. Il se rase le visage tous les matins avant de venir vous rejoindre.

L'égorgeur en chef fit un pas en avant, mais Alice lui intima l'ordre de rester à sa place.

— Je n'y peux rien, ma reine, continua le soldat, presque sanglotant. Ces poils sont apparus un matin. Certaines parties de mon corps se gonflent, également. J'ai bien peur d'être malade...

— Tu es atteint d'adultère! répliqua Alice, décontenancée par la révélation au sujet de Casper et mélangeant de fait les mots de la langue anglaise. Même si ce n'est pas mortel, il faut que tu y fasses très attention, sinon je serai obligée de te rayer de mon armée. Tu vas commencer à éprouver une attirance sensuelle pour les filles et les garçons autour de toi, mais tu devras lutter contre, c'est compris?

Le jeune homme, tout penaud, hocha la tête. La blondinette n'arrivait pas à se faire à l'idée que Casper devenait adulte. Elle n'osait pas le déculotter de peur d'être troublée. Un sentiment très spécial la liait au jeune homme et elle ne voulait pas le dévoiler si tôt devant ses soldats.

Elle finit son inspection d'un geste dédaigneux en direction des trois enfants sur le côté de la salle.

— Ici les infirmiers et le chroniqueur. N'espérez pas grand-chose d'eux. J'ai donné pour consigne aux secouristes de choisir pour vous la mort plutôt que le handicap. En cas de gangrène, ils ne vous couperont pas la jambe, mais le cou.

Le silence était revenu dans la salle. Alice regagna paisiblement son trône. Son armée comptant plus de quarante enfants resta alignée. Le garçon mis en cause rentra dans les rangs, à côté de Casper qui le fixait étrangement.

— Je suis très fière de vous! conclut-elle Et je veux que vous m'assuriez de ne faire montre d'aucune pitié envers nos ennemis...

— Hourra! hurlèrent les soldats en levant leurs armes.

— Nous n'avons pas à leur accorder notre clémence, continua la blondinette.

— Même envers votre père? questionna timidement une fillette.

— La clémence porte le flambeau devant toutes les autres vertus, disait Victor Hugo, l'un des créateurs les plus sérieux et les plus adultes de tous les temps. Mon père est un félon! Arrêtez de me rappeler les tares de mes aïeux! J'en souffre suffisamment. Je vous demande à tous de prier pour que je ne souffre pas des mêmes défectuosités.

Certains enfants se mirent à genoux, mais Alice les fit relever d'un geste.

— Il s'est néanmoins arrangé, comme tous vos parents, depuis que Wilfred guide nos pas. Son comportement vous paraît plus odieux, car, comme moi, il dirige. Le commandement est toujours impopulaire. Mais il en faut. J'assume entièrement les quelques assauts de haine que certains ne manqueront pas d'éprouver pour moi.

Tout le monde resta interdit. La reine savait qu'elle venait de viser juste.

Il était temps de poser l'ultime question avant la bataille. Ils avaient ensemble réglé leur plan concernant l'île toute entière, mais un élément leur échappait. Ce touriste débarqué quelques jours plus tôt. Ce satané Anglais qui leur filait entre les doigts depuis le début.

— Qui a peur de l'inspecteur Kite? demanda Alice, en se levant. Quel châtiment lui réservez-vous pour ce soir? Certains d'entre vous m'ont confié qu'ils le considéraient moins mature qu'un autre. Ne vous y trompez pas. Il est notre ennemi principal, un adulte de premier choix. Je vous ai révélé qu'il avait pensé plusieurs fois au suicide, mais cela ne fait pas de lui un compagnon. C'est un fouineur, la seule personne capable de colporter à l'extérieur une fausse vérité qui gênerait la perception de notre quête. Je m'étonne d'ailleurs qu'il ne se soit pas jeté dans la gueule du loup. Wilfred était trop fatigué pour le vaincre, l'autre fois. C'est à nous de le terrasser!

Les enfants applaudirent à tout rompre et une voix aiguë s'éleva du groupe pour se répercuter à l'infini contre les murs de pierre:

— Qu'on lui coupe la tête!

16

— Qu'on lui coupe la tête !

C'était un petit garçon de huit ans tout au plus qui avait appelé l'ex-inspecteur à monter sur l'échafaud.

Kite se liquéfiait sur place. Cauchemar, ce n'était pas un mot assez fort pour exprimer ce qu'il ressentait en l'instant. C'était bien plus fort, car il y avait cette sensation du réel en lieu et place de la sécurité du réveil.

Lors d'un rêve angoissant, quand le cerveau détecte la limite du supportable, il commande votre retour. Ici, pas de garde-fou. La sueur puante sur votre corps rend vos vêtements poisseux, votre mal continue de vous ronger, et il n'est pas possible de faire de l'esthétisme : vous ne voyez la scène que par vos yeux et non pas comme dans les rêves grâce à de multiples angles de vue.

« C'est un délire ! » essayait de se convaincre Kite que la douce sensation de l'hystérie guettait. « Je suis la victime de l'imagination viciée d'un écrivaillon. Qu'il pose son foutu stylo et qu'il me laisse en paix... » Il se voyait comme le jouet d'un maniaque portant un masque de corbeau. Un homme qui tirait les fils attachés à ses membres pour le faire paraître dans des situations chaque fois plus extravagantes. « Au programme aujourd'hui : » pensait-il, en transpirant, « la cérémonie d'adoubement par Alice Grant, puis l'attaque du manoir par le front de libération des petits enfants. »

Il se sentait pris au piège. Comment allait-il pouvoir s'extirper de cette salle ? Il devait quitter le pilier et regagner la sortie par l'alambic.

« Ma transpiration me nargue. Elle me rappelle que je suis vivant. Ou bien ce sont les sécrétions d'imagination en surplus qui s'échappent de mon corps. » Son esprit se débridait et il s'en fallait de peu à chaque fois qu'il ne fît ses réflexions à haute voix.

Le discours d'Alice le sidérait au plus haut point. En même temps, cela l'avait conforté dans sa supposition concernant le désordre psychologique de la fille du milliardaire.

Il n'avait pas perdu une miette de la scène, frissonnant lorsqu'elle avait décrit son armée, tremblotant lorsqu'elle avait confirmé à mots couverts la réalité du combat entre Kite et l'homme au masque de corbeau.

Wilfred. Pourquoi n'était-il pas avec eux pour ce qui semblait être le jour J ? Parce qu'il préparait le village à l'invasion, réunissant tous les parents au pub pour faciliter le massacre ? Ou pis encore, parce qu'il était adulte et donc condamné lui aussi ? Alice se chargerait de lui personnellement, sans éprouver une once de remords à supprimer son mentor.

Le délire était trop vif et Kite éprouva une céphalée intense. Son front était brûlant. Il devait fuir au plus vite sous peine de s'effondrer aux yeux de tous. Inerte, Casper pourrait abattre sa hache sur lui trop facilement.

« Je m'étonne d'ailleurs qu'il ne se soit pas jeté dans la gueule du loup », avait déclaré Alice. Elle ne croyait pas si bien dire. Il fallait être fou pour venir ici.

Partir. Se jeter comme un forcené dans le couloir et courir jusqu'à l'échelle, l'escalader en vitesse, traverser la distillerie et plonger dans le souterrain. Il devait retourner au manoir pour téléphoner. Il menacerait Judith et Margaret pour obtenir la ligne. Il se préparait même à débrancher la pompe à morphine de sir Grant si le milliardaire refusait de lui dire la vérité au sujet du téléphone.

C'était une course contre la mort qui allait s'engager, maintenant. Les enfants avaient l'air si sérieux, si haineux, qu'il ne suffirait pas de se cacher derrière une porte ou même de se percher sur une chaise pour éviter un coup de poignard dans le ventre. Jusqu'au dernier moment, il avait voulu croire en l'innocence de ces gamins.

À présent, il ne croyait plus en rien.

Paul Kite fixa le groupe. Il devait rester à l'affût de la moindre occasion de partir. Il suffirait qu'Alice lance une salve d'acclamations pour qu'il se faufile vers la sortie. Malheureusement pour lui, la souveraine du pays des cauchemars parlait calmement sur son trône, faisant défiler un à un ses soldats, très probablement pour dicter à chacun des consignes particulières.

L'ex-inspecteur s'impatientait. Si après ses consultations particulières, la fillette dispersait l'assemblée, il se retrouverait nez à nez avec tous les enfants. Il voulait s'échapper immédiatement, mais il n'y avait pas assez de bruit de fond pour que sa fuite passât inaperçue.

« Advienne que pourra ! » se dit Kite. « Si je me fais repérer, il me faudra courir. Est-ce que je pourrai supporter une course de deux miles ? Mon ventre et mon souffle me trahiront, c'est probable. »

Il ne voyait pas d'autre solution. Il n'allait tout de même pas se livrer pieds et poings liés à l'armée d'Alice.

Kite ferma les yeux et se remémora le chemin qu'il avait à faire. Comme cela, il pourrait se concentrer sur sa foulée et son souffle, prenant le temps de respirer pendant sa course, condition *sine qua non* pour éviter un point de côté.

« Une douleur de plus ou de moins dans le ventre ! »

Il se gronda de réagir aussi négativement. Il tenta de dresser un plan de fuite, dessinant approximativement dans sa tête les pièces et surtout les distances à parcourir. Il devait faire entrer dans son cerveau des gestes automatisés comme celui d'ouvrir le haut de l'alambic pour que ses mains ne dérapent pas, penser à allumer la lampe torche également pour ne pas se cogner dans le boyau. Il aurait autant aimé rentrer par la lande — la nuit n'était pas encore tombée —, mais il ignorait la sortie de la distillerie et n'avait absolument pas le temps de la chercher.

Paul stabilisa son rythme respiratoire et remua ses narines pour les dégager. Il ne pouvait bien évidemment pas renifler, ni se moucher. Il devait se décider au plus vite. Alice venait de converser avec le dernier garde et demandait au chef égorgeur de venir la rejoindre. Il se donna cinq secondes pour se décider.

Inéluctablement, à cinq, il bondirait.

Un.

Deux.

Trois.

Quatre.

Cinq. Paul s'élança en avant.

Il s'inquiéta du crissement de ses semelles, mais il était trop tard pour reculer. Il accéléra encore la cadence pour sortir au plus vite de l'enfer.

Casper se dirigeait vers sa reine lorsqu'il entendit le bruit des chaussures de l'intrus sur le sol. Il se retourna en un centième de seconde, la hache brandie. Il aperçut juste la silhouette fuyante de Kite au détour du couloir.

— C'est l'Anglais ! hurla-t-il. Il a découvert notre repaire...

Les enfants poussèrent tous un cri d'étonnement en se retournant.

— Égorgeurs! Tous avec moi!

Les garçons de la quatrième ligne, la plus proche de la porte, se ruèrent la dague dégainée hors de la pièce. Casper fila les rejoindre.

— Vous tous! les stoppa Alice.

Les gamins arrêtèrent leur course.

— Qui vous a donné l'ordre de combattre l'inspecteur Kite?

Le chef des égorgeurs revint tout penaud vers le trône. Les autres soldats réintégrèrent leurs lignes.

— Laissez-le fuir! Je ne veux pas triompher de lui en ces lieux. Il fut notre plus grand ennemi. Si je ne peux lui accorder la grâce réservée aux braves, je veux qu'il nous quitte dignement. Laissez-moi m'en occuper personnellement.

Casper fixait le sol avec insistance.

— Je ne te demande pas de prendre d'initiative, finit par lâcher Alice. Quand le moment sera venu, tu viendras avec moi et nous lui réglerons son compte. Il n'est pas difficile d'anticiper ses faits et gestes. Je vois parfaitement clair dans son jeu, car c'est une personne qui raisonne très souvent comme mon père.

Un silence de mort s'installa. Au loin, la reine et son armée entendirent l'échelle de l'alambic, secouée en tous sens.

Kite ne se retourna pas avant d'avoir atteint le milieu du souterrain et de ressentir une violente douleur au diaphragme. Sa chemise était trempée. C'était comme si on lui avait greffé du fil de coton en lieu et place des jambes. La fatigue allait avoir raison de lui.

Il s'arrêta et se retint à un linteau pour ne pas flancher. Soudain, le boyau lui apparut étroit et il se mit à avaler l'air comme un plongeur revenant du fond de l'océan. Ses paumes moites ne lui assurèrent aucune prise sur le bois.

Il voulait entendre les pas de ses poursuivants, mais des glaires roulaient sur son larynx et l'empêchaient de discerner d'autres bruits.

Il s'était fait repérer en sortant de la salle. Casper avait hurlé son nom ou une expression approchante, il ne s'en souvenait pas. Il n'avait pas demandé son reste et foncé vers l'échelle, qu'il avait gravie sans même regarder en bas, avec l'angoisse de recevoir à tout moment une flèche dans la jambe qui l'aurait fait tomber à terre.

Kite avait traversé la distillerie en suffoquant, puis ouvert fébrilement la porte menant au souterrain. Son cerveau ne lui avait pas dicté l'action de prendre la lampe et il s'était retrouvé dans le noir total une fois la porte fermée, manquant trébucher à chaque marche. S'il se fracassait la tête ici, Wilfred s'en apercevrait et le laisserait très probablement pourrir dans le souterrain. Cette image l'indisposa à tel point qu'il accéléra encore son allure. Il croyait même déjà sentir les gaz de la putréfaction au fur et à mesure de son avancée.

Alors survint le premier point de côté et il fut forcé de stopper sa course folle.

Cela lui permit de s'apercevoir qu'il n'était pas poursuivi par les égorgeurs d'Alice. Il s'en étonna mais n'avait pas le temps de réfléchir à ce sujet.

Sortir du passage secret. Tel était son but. Il s'aviserait de cela plus tard, quand il serait dans le ferry ou dans l'hélicoptère que la police écossaise enverrait pour faire cesser cette tragédie.

« Tu crois que deux ou trois flics vont arrêter mon armée, Kite ? »

C'était ALICE !

Alice Grant avait pris la place de Wilfred dans sa tête. Elle s'était substituée à son maître comme dans la réalité !

« Nous les attendrons sur le débarcadère ou dans le champ où ils poseront leur hélico. J'enverrai mes éclaireurs pour les attirer dans une ruelle et mes égorgeurs leur briseront l'échine de leurs poings. Les flics sont les apôtres de la responsabilisation. C'est en partie à cause d'eux que les adultes sont si détestables... »

Il continua sa marche pour se concentrer sur la douleur plutôt que sur cette voix aux accents diaboliques et atteignit rapidement l'escalier le ramenant vers le pavillon. Il ne trébucha pas contre lui et le monta prudemment, désireux de retrouver la lumière au plus vite.

Sa main s'arrêta net sur la poignée. Et si les gamins l'attendaient derrière cette porte ? Et s'ils savaient qu'on mettait moins de temps en passant par la lande que par ce souterrain ? Il imaginait Casper la hache levée bien haut, attendant qu'il passât la tête. Le chef des égorgeurs avait entendu sa respiration rauque pendant sa montée et l'attendait de pied ferme, paré à le stopper dans sa quête d'un téléphone.

Cela ne lui aurait servi à rien de poser l'oreille contre la porte. Le son provenant de sa gorge recouvrait tous les autres bruits.

Il n'avait pas d'autre solution que de s'élancer à l'aveugle, comme dans la salle du trône quelques minutes plus tôt.

Kite tenta une nouvelle fois de calmer sa respiration, mais renonça devant cette gageure. Il tourna la poignée et se jeta à plat ventre sur le sol du pavillon. Les luminaires de la pièce lui agressèrent les yeux comme si une dizaine de flashes le mitraillaient en même temps. Il cligna plusieurs fois et s'aperçut que le cottage était vide. Rien n'avait été dérangé.

Pas une seconde à perdre. La porte était fermée. Paul se précipita vers son lit et récupéra la clef. Il en profita pour regarder par la fenêtre. Personne ne l'attendait à la sortie. Le ciel était gris, un crachin assombrissait encore plus les couleurs du jardin.

Il déverrouilla fébrilement l'huis et emprunta le chemin menant au manoir sans même prendre le temps de le refermer. Il avait hâte d'arriver, craignant bien sûr qu'on lui annonce le décès de sir Grant et l'évanouissement de tant de secrets. Il voulait partir avant que cela tourne mal, mais ne dédaignerait pas une explication. Le milliardaire agonisant aurait-il la force de la lui fournir ? Mais n'était-il pas lui-même une victime ? Tout s'embrouillait. Un seul mot clignotait : « Partir ».

Et prévenir Judith et Margaret qu'une armée d'enfants s'apprêtait à attaquer l'île de Blackbird... Le considérerait-il de nouveau comme un fou ? Il laisserait les villageois dans leur ignorance et n'avait pas le temps de prévenir Douglas et sa famille. L'homme lui aurait très certainement répondu que Nessie n'hésiterait pas à écraser cette rébellion d'un coup de patte.

Arrivé enfin sur l'esplanade du manoir, il empoigna avec force le battant droit et le poussa.

Où étaient Alice et son armée, maintenant ? Encore en réunion logistique et stratégique ?

La porte cogna le mur et décrocha un tableau. Mais il s'en fichait. Il scruta le hall faiblement éclairé et aperçut Margaret.

Elle était assise sur une chaise près de l'escalier, le visage plus livide que jamais.

— Sir Grant veut vous voir, murmura la vieille femme. Je vous cherche partout depuis le début de la soirée. Dépêchez-vous! Il est encore lucide, mais le docteur Livingstone est très pessimiste. Il pourrait nous quitter ce soir. Une septicémie lui encombre les poumons.

Paul Kite s'arrêta net. Des perles de sueur et d'eau de pluie roulèrent sur ses paupières et se glissèrent dans ses yeux.

— Je veux d'abord téléphoner, annonça-t-il.

— Vous ne pourrez toujours pas. La ligne n'a pas été rétablie. Dépêchez-vous de monter...

— Je veux appeler la police, Margaret. Je n'irai pas voir sir Grant avant.

Il devait se montrer inflexible ou bien il perdrait définitivement la partie.

— Je m'en charge. L'agent Bolt sera là dans quelques minutes. Montez dans la chambre de...

— Je ne veux pas de vos miliciens, la coupa Paul, dont les traits du visage se durcirent. Il faut joindre la police écossaise, leur dire qu'ils viennent au plus vite et en nombre...

— Par ce temps, c'est impossible! plaida-t-elle. Et

puis je vous dis que nous sommes toujours coupés de la côte...

Alors Kite ne tint plus. Pour la première fois de sa vie, il empoigna une femme à l'encolure.

— C'est un mensonge! hurla-t-il. Vous me mentez tous depuis le début. Si nous ne partons pas de cette île, nous irons bientôt tous rejoindre Grant, c'est clair?

Il desserra son emprise et s'en voulut immédiatement. La douleur dans son ventre et dans sa gorge l'avait fait chavirer. La cuisinière fermait les yeux.

— Je ne comprends rien, balbutia-t-elle. Pourquoi devrions-nous tous mourir?

À cet instant, un râle venant de l'étage se fit entendre. Sir Grant appelait son confesseur. Kite hésita. La détresse du milliardaire le toucha. Mais il ne voulait pas abdiquer.

— Je vais redescendre dans quelques minutes. Essayez de rebrancher le téléphone. Je suis sûr qu'au moins une des lignes du manoir fonctionne. Vite!

Il laissa Margaret en plan et gravit quatre à quatre les marches de l'escalier.

Quelque chose de tragique était en train de se mettre en place. Cela ne pouvait que mal finir. Il savait que, quoi qu'il fasse, il ne pourrait pas changer la fin inéluctable de cette tragédie. Pourquoi devait-il toujours prendre part à des histoires qui se terminaient mal?

« C'est le choix de ton démiurge, Kite... De celui qui dirige ta vie. As-tu déjà réfléchi au destin? Moi, je dirige celui des enfants de l'île... Es-tu croyant, Kite? Crois-tu qu'un dieu nous guide en écrivant notre histoire sur un parchemin à la longueur infinie? Moi, je ne sais pas. Je ne crois qu'à la guerre et à ses vertus. »

La voix d'Alice cessa une fois qu'il fut entré dans la chambre de sir Grant. Il avait exécré la voix de Wilfred. Il haïssait celle de la petite fille.

Le milliardaire se préparait à pousser un second râle lorsque l'ex-inspecteur le rejoignit près du lit. Quand il s'aperçut de sa présence, il dégonfla sa poitrine et un affreux bruit de glaire s'échappa de sa bouche.

« Les glaires... Les maux de ventre... Comme moi! »

Sa voix reprenait de nouveau le dessus. Wilfred était proche. Il ne savait pas en quel sens. Ou plutôt il craignait de savoir.

— Ce cancer me ronge et va m'emporter, geignit le milliardaire. Je me sens partir, Mr. Kite. C'est une sensation étrange, presque douce et impossible à appréhender par l'écrit. N'essayez pas. Ne refaites pas mon erreur.

La lucidité de sir Grant était impressionnante. Son courage méritait le respect. Le cœur de Paul se serra presque malgré lui.

— Ouvrez le placard en face de moi, Mr. Kite. Je vous en prie.

Il n'avait pas encore ouvert la bouche. Il se leva et s'exécuta.

— Le paquet blanc au-dessus de mes chemises. Déballez-le...

Il saisit le paquet, puis revint s'asseoir. De face, sir Grant était atrocement calme. On eût dit qu'il était mort et que seules ses lèvres pouvaient bouger. Un frisson parcourut la colonne vertébrale de Kite. Il déballa le paquet et reçut un coup dans la poitrine.

— Vous vous en doutiez, n'est-ce pas? murmura sir Grant, pressant inlassablement le bouton de la pompe à morphine qui ne délivrait rien.

L'ex-inspecteur tenait à la main la cape et le masque de Wilfred.

— Je suis Wilfred, continua le milliardaire. Ou plutôt j'étais. J'ai créé ce personnage il y a quelques mois pour reconquérir ma fille qui m'échappait. Elle me répondait mal et me considérait presque comme un ennemi. Il me paraissait impossible de redorer ma propre image, alors j'ai choisi de m'en créer une nouvelle.

Kite mit quelques secondes à desserrer la mâchoire.

— Alice le sait-elle? questionna-t-il.

— J'ai tout fait pour qu'elle ne l'apprenne pas. Vous êtes à présent la seule personne de l'île à partager mon secret. Un souterrain me permettait d'accéder au château délabré depuis mon petit pavillon. Je prétextais des séances intenses d'écriture pour m'enfermer des jours et des nuits entières.

— C'est pour cette raison que vous me vantiez l'innocence de Wilfred pour le meurtre de Virginia...

— C'est la vérité. Je n'aurais jamais fait cela. J'ignore toujours ce qui a bien pu arriver. Il me fallait trouver un moyen de vous garder à l'œil, car vous menaciez de jouer le franc-tireur sur cette affaire. Une fois votre femme partie, je vous ai fait suivre par mes policiers. Je n'avais pas d'autre choix que de vous faire venir à la maison après la découverte du corps de Virginia. J'ai demandé à Mrs. Pembry de vous mettre à la porte.

— Vous m'avez manipulé, siffla Kite.

— Juste pour vous faire venir au manoir. Ensuite, je ne pouvais plus rien faire à cause de mes maux de ventre.

— C'est avec vous que j'ai combattu l'autre soir...

— En temps normal, je vous aurais assommé. Mais je n'étais pas en état de me battre.

Tout devenait clair pour Paul. Le lien entre sir Grant et Wilfred était bien plus étroit qu'il pouvait le supputer. Des détails lui revinrent en mémoire. Le premier soir quand le milliardaire était venu le chercher en Jaguar, il venait du même côté où était parti quelques dizaines de minute plus tôt Wilfred à cheval.

Le combat au château n'était donc pas un rêve. Il avait bien croisé le fer avec sir Grant. La chevelure blonde qui avait relevé l'homme masqué ne pouvait appartenir qu'à Alice...

Et cette expédition meurtrière pour livrer le whisky. Il s'en ouvrit au malade.

— J'ignore tout des livraisons, répondit-il difficilement. Je ne m'occupais jamais des horaires, même si je préférais qu'ils viennent à la nuit tombée. La distillerie était une simple couverture. Je ne produisais rien. Les enfants se contentaient de coller des étiquettes sur les bouteilles livrées.

Kite ne savait plus que penser. Il voyait mal sir Grant appeler les enfants à une lutte armée contre les adultes. Alice avait-elle repris les rênes du pouvoir contre la volonté de son père? En commettant un parricide peut-être? Et si le milliardaire avait été empoisonné...

Le malade s'était tu. Il montrait de son doigt mutilé une photo sur la table de nuit. Une photo où il tenait la main d'Alice, devant le rocher à la tête de corbeau. Il tourna la tête vers Kite qui fixait le moignon.

— Je me suis automutilé pour l'amour de ma fille, Mr. Kite. Un soir où je l'avais trop sévèrement grondée au sujet d'un devoir, je me suis emparé d'un hachoir et je me suis tranché le doigt. Wilfred est né quelques heures plus tard.

Une pluie plus épaisse vint taper contre les vitres de la chambre. Paul était abasourdi par tant de révélations. La fausse schizophrénie du milliardaire le sidérait. Elle ressemblait à celle du meurtrier de 1997, dans cette affaire qui l'avait détruit. Les deux hommes paraissaient fous, mais possédaient dans leur démence une sorte de sincérité qui était à même d'expliquer rationnellement leurs actes.

— Je ne vous ai pas fait venir simplement pour me confesser, Mr. Kite, vous vous en doutez bien...

Sa voix du milliardaire n'était plus qu'un murmure. L'ex-inspecteur s'approcha de lui pour saisir ses mots.

— Je vous demande de reprendre mon rôle, Mr. Kite. Je vous lègue une grande quote-part de ma fortune si vous continuez à jouer Wilfred pour ma fille et les enfants de l'île...

Paul ne répondit pas.

— Vous ne serez pas le tuteur d'Alice, j'ai déjà désigné un ami. Je vous supplie juste de revêtir le costume de Wilfred et de me remplacer. Vous trouverez des instructions ainsi que les discours que je leur tenais dans le secrétaire du petit pavillon du jardin.

Les manuscrits! Kite avait donc vu juste. Sir Grant avait préparé un manuel destiné à les éduquer dans un souci de sauvegarde de la fausse pureté de l'enfance. Pour lui, un adolescent commençait à être perverti par le sexe. Fallait-il être nihiliste de l'amour pour soutenir un tel raisonnement!

— Le vrai déguisement de Wilfred, susurra le milliardaire, ce n'est pas cette cape et ce masque. C'est un état d'esprit, une vision très nostalgique de l'enfance et de ses jeux. Depuis que je jouais Wilfred, j'avais l'impression d'être moins adulte, plus libre de tout! Mes raisonnements ont changé, je suis devenu ouvert à beaucoup plus de choses... Vous êtes l'esprit que je sens le plus apte à me succéder... Ce regret du temps qui passe trop vite, cet acharnement à traquer l'injustice...

Il marqua une pause.

— Je pense que même en cet instant, dans la douleur, cette expérience m'est précieuse. Je vois la mort avec beaucoup moins de simagrées qu'avant. Savez-vous ce que m'a répondu Alice le jour où je lui ai parlé du décès de sa maman?

Kite secoua négativement la tête.

— Elle m'a dit : « Moi je ne serai jamais maman, comme ça je ne mourrai jamais. » Acceptez ma proposition, Mr Kite. Continuer à raisonner comme un enfant ne vous protégera pas de la mort, mais cela vous permettra de l'attendre plus sereinement...

Sir Grant avait de plus en plus de mal à respirer. Son long monologue l'avait épuisé. Il gardait les paupières ouvertes, fixant l'ex-inspecteur, alors qu'elles ne cherchaient qu'à se clore. C'est comme si le malade avait conscience que s'il fermait les yeux, il allait mourir.

Kite ne savait pas quoi répondre à son hôte. Accepter sa proposition en sachant qu'il lui mentait ? Ou bien lui parler d'Alice qui préparait une attaque de l'île ?

Il n'eut même pas le temps d'ouvrir la bouche pour prononcer un mot. Soudainement, le visage du milliardaire vira au bleu.

« Une cyanose », pensa-t-il. « Il fait une fausse-route. C'est comme cela que ma mère est morte. Il doit avaler sa salive de travers. »

Wilfred était en train de s'éteindre pour de bon. Paul saisit la main du mourant.

— Tout va bien, murmura-t-il.

Sir Grant lui souriait. Ses yeux se révulsèrent pendant quelques secondes, puis sa respiration s'arrêta. Il poussa un dernier soupir. Kite lui serra la main encore plus fort.

Sir Dwight Grant et Wilfred, l'homme au masque de corbeau, moururent le jeudi 5 avril, à vingt et une heure quinze très précises.

Paul ferma les paupières du milliardaire et s'affala sur la chaise. Un flot de larmes ne demandait qu'à couler, mais il se devait de les retenir. Il s'obligea à être fort, à ne pas céder aux tentations dépressives. Sir Grant souriait dans la mort. Était-ce si doux que cela ? Ou bien l'homme s'était-il cru miraculeusement débarrassé de sa souffrance au moment d'abandonner la terre ?

« Une cyanose... Cyanure... Une maladie ? Je n'en suis pas si sûr... »

Il refoula pour l'instant ces quelques soupçons. Ce n'était ni le moment, ni l'endroit.

Il fixait intensément le masque funèbre du gentilhomme. Sa peau blanchissait déjà. Kite restait fasciné par ce visage et ce corps mort. Que pouvait-il bien représenter ?

« Une masse de cellules mortes ! » l'aurait charrié son médecin de femme.

Kite ne pouvait se contenter de cette simple explication. Lors de ses pulsions suicidaires, il s'était souvent demandé ce que représentait vraiment une dépouille. Pour lui, les cimetières n'étaient pas des champs à cadavres, mais des plantations à souvenirs. Il exécrait ces gens qui prenaient la mort par-dessus la jambe, raillant les cimetières et les mémoriaux. Pour lui, on ne mourait que dans les souvenirs des vivants. Tant que l'on n'a pas vécu de pareilles circonstances, il est facile de se moquer des autres. Ce n'était pas une histoire de croyance religieuse. Simplement sa conception. C'est ce discours qu'il aurait tenu à la fille du défunt si elle n'avait pas été aussi déséquilibrée.

« Allons bon ! Si sir Grant peut lire dans tes pensées, il doit te trouver bien adulte ! »

Mais Kite laissait simplement parler son expérience de la vie.

Il ne devait pas rester dans cette chambre, car il n'avait plus rien à y faire. S'il pouvait encore apporter un réconfort à un mourant, il ne savait plus comment se comporter devant son corps inanimé. Du reste, il devait descendre pour appeler la côte. Il espéra que Margaret avait réussi à obtenir une liaison.

Il allait quitter la chambre lorsqu'il saisit le téléphone posé sur la table de nuit.

Une tonalité résonna sur son tympan. Pour la première fois depuis son lever, il sourit. En somme, on lui avait menti pendant son séjour. Les communications fonctionnaient parfaitement. À moins que British Telecom n'eût réactivé la ligne qu'en fin d'après-midi. Paul ne le saurait jamais et peu importait, après tout.

Appuyant comme un forcené sur chaque touche, il composa le numéro de son domicile. Il préférait appeler sa femme et lui expliquer aussi calmement que possible la situation. Les flics écossais ne l'auraient pas cru, alors que Michelle pouvait très bien joindre un ancien collègue de Kite et lui expliquer.

La liaison mit un certain temps à s'établir. Heureusement, une sonnerie s'égrena dans le combiné.

— Allô?

Paul ne tenait plus en place. Il reconnut la voix de Michelle. Sans faire attention, il posa le regard sur le visage de sir Grant tout près de lui. Il se tourna immédiatement. Il y avait quelque chose de dérangeant dans cette scène.

— Michelle! C'est Paul. Il faut absolument que tu envoies des policiers sur l'île!

— Tu n'as pas pu appeler plus tôt, le gronda sa femme.

— Écoute bien. C'est la catastrophe ici. Sir Grant vient de mourir à l'instant et sa fille s'apprête à mettre Blackbird à feu et à sang.

— Quoi? cria-t-elle.

— Je sais que tout ça peut te paraître décousu, mais c'est la vérité. Crois-moi!

— Tu as une voix rauque, Paul. Tu as fumé? Tu as bu, c'est cela?

— Ne joue pas avec mes nerfs, Michelle! Je te dis que je suis bloqué sur l'île et que je suis en danger de mort. C'est clair?

Il hurlait lui aussi. Soudain, il n'entendit plus Michelle parler, mais deux voix masculines. Il appela le prénom de sa femme, mais elle ne lui répondit pas. Michelle se trouvait-elle chez elle avec deux hommes? ÉTAIT-ELLE EN DANGER?

« Alice a envoyé quelques gardes à Finchley pour que ma femme se tienne tranquille... »

Kite hurla de nouveau dans le téléphone, mais entendit toujours deux voix masculines. Il lui sembla reconnaître l'une d'entre elles.

Livingstone.

Non. Moins grave.

Bolt!

Oui. C'était la voix du policier.

Il articula distinctement le nom dans le combiné. Alors la communication se coupa. Il n'y avait plus aucune tonalité.

L'ex-inspecteur venait de compromettre sa fuite. Il aurait dû se douter que le milliardaire avait mis son téléphone sur écoute. Les deux flicaillons avaient probablement coupé les lignes à présent. S'il voulait rétablir la conversation avec sa femme, il devrait se rendre au poste de police et les menacer.

« Avec quoi vas-tu leur faire peur, imbécile? Comme au Cluedo, avec le chandelier sur ta cheminée? Ou bien la clef anglaise de l'établi de sir Grant?

Paul était pris au piège. Il s'en voulait d'avoir gâché si bêtement cette opportunité. Il aurait fallu appeler Bolt et son collègue au manoir, puis seulement passer le coup de fil.

Il reposa le téléphone et sortit enfin de la chambre. Il était temps d'annoncer la triste nouvelle à Margaret et Judith. La vieille femme n'avait pas fini de verser des larmes sur la dépouille.

Livingstone vint constater le décès un quart d'heure plus tard. Il ne resta pas longtemps dans la chambre, saoulé par les pleurs de la cuisinière. Judith se contenait bien plus, avec pour seul signe d'émotion ce mouchoir déchiré dans la main. Le docteur signa le certificat et débrancha la pompe à morphine. Kite l'aida à la charger dans sa voiture. La pluie s'était calmée.

Ils n'échangèrent pas un seul mot à part les quelques formules de politesse d'usage. Paul n'allait pas confier ses craintes au médecin. Il faisait partie des habitants de l'île et il s'était juré de les laisser dans le flou. Livingstone demanda simplement où était Alice. Devant l'ignorance de l'ex-inspecteur et des deux femmes, il s'en alla.

Le corps de sir Grant reposait toujours dans sa chambre. Margaret, aidée de Judith, l'habilla de son plus beau costume — celui qu'il portait à sa cérémonie d'anoblissement à Buckingham — et dressa quelques cierges autour du lit.

— Ce n'est pas la chapelle ardente qu'il aurait méritée, sanglota la cuisinière, mais c'est toujours mieux que de le laisser dans les casiers du docteur Livingstone.

Judith approuva d'un simple hochement de tête.

Après quelques instants de veille, ils regagnèrent tous trois leurs chambres.

Paul Kite faisait les cent pas devant la fenêtre. La mort de sir Grant, c'était une page qui se tournait, il en était conscient. Malgré tout, il savait que son tourment était loin d'être terminé.

Il regarda le village au loin. Quelques maisons avaient déjà les lumières allumées alors qu'il faisait encore jour. Il ouvrit la fenêtre et l'air lui fit du bien. Ce fut ce contact qui lui rappela qu'il était encore en vie.

« En sursis... Je suis en sursis comme tous les habitants de Blackbird. »

Et si Alice ne passait pas à l'acte? Pour le moment, la jeune fille n'avait pas fait de mal.

« Et la femme de Livingstone que les gamins séquestraient... Et Virginia... Et peut-être même sir Grant, qu'elle aurait empoisonné... »

La boîte de cigares offerte par la petite fille le tentait, mais il trouva inconvenante l'idée même de s'en accorder un dans la chambre attenante à une chapelle ardente. Sur la couverture, il avait posé le costume de Wilfred que sir Grant lui avait fait prendre dans l'armoire.

Comment avait-il pu se laisser abuser de la sorte? Même si des soupçons avaient fini par le saisir au sujet du milliardaire, il n'aurait jamais imaginé qu'il jouait lui-même le rôle de ce fou, allant jusqu'à mutiler ses concitoyens pour que sa petite fille témoigne à son double un tantinet d'amour. Ce n'était pas une réussite, au final : Alice ressortait gravement atteinte de cette mascarade. Peut-être même était-elle devenue schizophrène.

Il se fixa un objectif en regardant la mer. Tenir encore cette nuit. Il retournerait plus tard dans le pavillon du jardin, s'enfermerait à clef, mettrait une armoire devant l'ouverture secrète et resterait sur le qui-vive pour ne pas se faire prendre par surprise.

La nuit lui faisait peur. Demain, il ferait grand jour, peut-être même soleil. Il partirait coûte que coûte, même s'il devait voler un bateau à un pauvre villageois.

« Même si je devais demander au monstre du loch Ness de me prendre sur son dos et de m'emmener à Londres en remontant la Tamise depuis Canvey Island! »

À l'horizon, la mer était agitée. L'écume montait vers le ciel, puis redescendait aussitôt. Il y avait une certaine majesté dans ce mouvement. Kite espéra que ce n'était pas la dernière fois qu'il le contemplait.

Son corps était fatigué. Il ne s'était pas assis depuis sa folle course, mais ne le voulait pas, de peur de sombrer dans l'inconscience.

« C'est peut-être le mieux. Comme cela, tu ne vois pas ton corps se vider de son sang. Tu meurs dans ton sommeil. »

Il s'étonnait de son apathie. Mais que pouvait-il bien faire ? Ce n'est pas avec Margaret ou Judith qu'il pourrait trouver un solution. Il n'avait plus qu'à patienter.

Alors qu'il se l'était interdit, il s'allongea sur le lit moelleux.

Quelques secondes plus tard, sa mâchoire se raidit et ses yeux clignèrent à un rythme inhabituel. Le sommeil venait et avec lui de doux rêves. Car Kite était persuadé que les cauchemars l'attendraient à son réveil.

18

Des bruits venant du dehors le réveillèrent. Des tintements de fer qui annonçaient l'imminence de l'apocalypse comme dans les légendes médiévales. Il se leva précipitamment et gagna la fenêtre restée ouverte.

Devant le manoir, une scène extravagante se composait peu à peu.

Alice Grant, vêtue d'une longue robe blanche et rouge, se tenait au centre de l'esplanade. Il faisait encore assez jour, mais bon nombre de gamins portaient un flambeau. Derrière elle, Kite apercevait les deux rangées de soldats. Devant elle, deux autres rangées.

Venant du jardin, des enfants poussaient un échafaud dans la cour du manoir. À la lueur des torches, il entrevit la silhouette de Derkemp se découpant sur les hautes oriflammes que des gamins portaient fièrement en étendards. On y avait reproduit la Alice de Lewis Carroll dessinée par Arthur Rackham. « La vraie », ne put s'empêcher de penser Kite. « La gentille, celle du conte pour enfants. Pas la chef de guerre. »

Le directeur de l'école était suspendu à une poutre, ses bras maintenus par des cordes, ses pieds nus ne touchant pas terre. Kite retint à grand-peine une envie de vomir. Il se rapprocha de la fenêtre et tenta de distinguer précisément le visage du jeune homme à travers la couche de buée que son souffle irrégulier imprimait sur la vitre. Les lèvres de Derkemp étaient éclatées. Un filet de sang coulait le long de son menton. Des bulles rougeâtres s'échappaient de sa bouche.

Kite sut qu'il allait mourir quand Alice Grant donna l'assaut du manoir, le doigt pointé sur la fenêtre de la chambre de son père, et le visage plus enjoué que jamais.

Une course s'engageait dont l'enjeu n'était autre que sa vie. La petite fille semblait si heureuse et fière à la tête de son armée que cela ne laissait aucun doute sur ses intentions de conquête. Elle voulait reconstruire Blackbird pour en faire le paradis des enfants. Ce projet fou, elle le mènerait à son terme avec l'aide des autres gamins de l'île, séduits par des promesses de liberté totale.

Paul n'avait plus le temps de disserter à ce sujet. Il devait sauver sa peau, à présent. C'était la seule chose qui comptait.

Sortir du manoir et se cacher quelque part sur l'île. Loin d'une habitation. À un endroit où l'armée ne viendrait pas, sur la lande, ou bien encore derrière un rocher sur la plage. Le mieux serait de gagner le château délabré, mais Alice avait peut-être laissé des gardes là-bas.

La question était de savoir s'il avait la possibilité de sortir du manoir. Rester bloqué à l'intérieur signifiait la défaite.

Sur l'esplanade, les rangs s'étaient clairsemés. La fillette n'était plus visible.

C'est alors que Kite entendit des cris venir du rez-de-chaussée. L'invasion du bâtiment avait débuté.

Réfléchir en vitesse. Il n'avait pas d'arme. Il ne pouvait pas lutter. Dehors, les lames étincelaient sous l'éclat des torches. Les volutes de fumée montaient dans le ciel encore clair.

Il ne devait pas rester dans cette chambre, mais plutôt rejoindre celle de sir Grant. Les enfants seraient certainement gênés par la présence du corps.

« Bien sûr ! Cela fait des semaines qu'ils s'entraînent à égorger des goélands en prévision de ce soir et j'ai l'impudence de croire qu'ils seront impressionnés par un cadavre pas même recouvert de sang... »

Il tourna la clef et ouvrit la porte. Dans le couloir, les cris et les sanglots de Margaret résonnaient, toujours plus forts. Kite n'essaya même pas de s'imaginer ce qui se passait en bas. Il ne devait plus penser aux autres, mais simplement à lui. Comme lorsqu'il avait dû lutter entre la vie et la mort après cette balle reçue dans la gorge.

Ses maux de ventre l'écartelaient, mais c'était un moindre mal. Il se rua dans la chambre du mort et claqua la porte.

Il ne pouvait décemment pas se cacher sous le lit, ni derrière la porte. Ce n'était pas une partie de cache-cache.

Il passa devant le lit. La mâchoire de sir Grant s'était crispée dans un rictus d'angoisse. C'était comme s'il réagissait aux événements même dans sa mort.

Il entendit une cavalcade de pas dans l'escalier, puis la voix d'Alice. Il se tapit dans le coin de la pièce opposé à l'entrée.

La petite fille ouvrit la porte de la chambre. Elle vit tout d'abord les cierges et comprit immédiatement que son père était mort. Elle s'arrêta net. Kite ne vit qu'un bout de robe franchir le pas.

— Jeremy ! Alfred ! Entrez ici et couvrez le corps de mon père...

Les deux gamins s'arrêtèrent lorsqu'ils virent Kite. Ils

dégainèrent leurs dagues. L'ex-inspecteur ne se démonta pas.

— L'Anglais! fit l'un d'eux.

— Couvrez le corps! hurla Alice. Ne vous occupez pas de lui!

Pendant que le plus petit des garçons tenait Paul en respect, l'autre s'escrimait à emballer la dépouille de sir Grant en rabattant les pans du dessus de lit. Ce manège dura une minute, une éternité pour Kite. Il était persuadé que s'il se ruait sur le gamin, il aurait le temps de le faire tomber au sol avant qu'il ne lui décoche un coup de lame. Mais s'il ratait son coup, on le saignerait sur place et il ne pourrait pas tenter de fuir.

Alice entra enfin dans la chambre, la tête raide, cherchant par tous les moyens à ne pas se tourner vers le lit mortuaire.

— Revenez près de moi, ordonna-t-elle à ses gardes.

Paul resta interdit dans le coin de la chambre. La petite fille n'avait plus rien à voir avec Alice Grant. Ce n'était pas la même personne qu'il avait rencontrée lors de sa première nuit au manoir. Sur la table de nuit de sir Grant, on pouvait voir une photo de sa défunte femme dans un splendide cadre argenté. Dans cette robe royale rouge et blanche se trouvait une Mrs Grant miniature plutôt que son enfant.

— Pas trop essoufflé, Kite? commença Alice, dans un sourire. La course jusqu'au manoir a dû vous fatiguer, n'est-ce pas?

Kite éprouvait une peur incontrôlable devant la fillette qui l'empêchait même de lui répondre. Il ne s'expliquait pas la raison. C'était une gosse après tout.

« Une gosse flanquée de deux autres gosses armés de poignards. Que dois-je faire? »

Mais ses jambes ne le portaient pas assez pour qu'il pût agir.

— Cela vous fait un drôle d'effet de trembler devant des enfants, n'est-ce pas? Pour une fois que ce n'est pas l'inverse...

Elle soupira d'aise en dodelinant de la tête.

— Notre jour est enfin arrivé, Mr Kite. Le 5 avril sera désormais fête nationale sur Blackbird... Le jour de la libération du joug parental... Un bon nom pour un jour férié, vous ne trouvez pas?

Paul ne put que déglutir. Les gardes le fixaient avec insistance, prêts à bondir au moindre de ses mouvements.

— Je vous somme de rester dans cette chambre jusqu'à ce que je revienne vous chercher. Nous devons parler tous les deux. Vous pouvez nous être très utile. Je laisse un garde près de la porte. N'essayez pas de fuir.

Elle lui tourna le dos et sortit de la pièce en tournant la tête vers le mur opposé au lit.

Kite se retrouva de nouveau seul. Il s'écroula littéralement sur le parquet.

Alice allait revenir vite, il en était persuadé. Le temps d'ordonner la mort de la cuisinière et de sa gouvernante et elle serait là.

— Margaret, je t'accuse de m'avoir forcée à boire de l'huile de foie de morue et à manger du poisson avec des arêtes! En conséquence, je te condamne de passer de vie à trépas sous la lame de Casper. »

« Judith, tu vas mourir car tu m'as trop retenue prisonnière de mes cahiers. Je n'avais pas besoin de toi pour me faire travailler. Je suis une bonne élève et plus tard je serai la romancière la plus célèbre du monde. Pour avoir douté de mes aptitudes, tu sentiras le filet du poignard courir sur ton cou.

Il divaguait sans même se soucier de sa fuite. Un réflexe brutal l'enjoignit à gagner la fenêtre de la chambre et à l'ouvrir. Il n'y avait plus aucun soldat sur l'esplanade. L'échafaud où était accroché Derkemp se trouvait en son centre.

Paul enjamba le rebord de la fenêtre. Il devait tourner le dos au vide de peur que le vertige ne le saisît. Il n'avait pas d'autre issue que celle-là. Continuer son avancée sur le petit rebord de pierre, puis se laisser tomber sur l'auvent de l'entrée. Ensuite, il reprendrait son souffle et sauterait à terre.

Heureusement pour lui, la nuit n'était pas tombée. Auquel cas, il aurait eu beaucoup de mal à trouver ses prises sur le mur du bâtiment.

Pendant toute son avancée, il espéra que personne ne reviendrait sur le devant du manoir. Il ne pouvait pas s'en assurer, car il tournait le dos à la scène.

Quand il arriva à la verticale de l'auvent, ses bras le tiraient énormément. Il n'aurait pas pu faire cinq pas de plus. Il tenta maladroitement de se retourner mais n'y parvint pas.

Il sauta en arrière.

Le choc lui scia les genoux, mais il n'avait pas le temps de hurler de douleur. L'auvent avait tenu le coup. Deux mètres plus bas, il toucherait le sol de Blackbird et pourrait s'enfuir loin d'ici. Il eut un regard pour l'échafaud. Derkemp avait l'air si mal en point. Mais le jeune professeur semblait le fixer. Cela lui redonna du courage et il se laissa glisser.

L'atterrissage fut moins rude qu'il ne pensait. Mais son cœur se remit à battre fort.

— Casper! hurla Alice. Cours après lui!

Son cri résonna sur l'esplanade. La fillette était penchée à la fenêtre de la chambre de son père. Elle venait de s'apercevoir que Kite s'était évadé.

Plus une minute à perdre. Des enfants commençaient à sortir du manoir pour le poursuivre. Alice avait rentré sa tête. Elle ne manquerait pas de se joindre à la meute.

Paul courut en direction du pavillon. Quand il passa devant l'échafaud, il crut entendre Thomas Derkemp lui souhaiter bonne chance dans un murmure.

Il devait cavaler aussi loin que possible. Derrière lui, des cris montèrent.

Il jetait des coups d'œil fréquents dans son dos et constata, à son grand étonnement, que le nombre de ses poursuivants diminuait.

Le souffle rauque, le nez pris, il parvint en vue du rocher à la tête de corbeau. Pourquoi avait-il couru dans cette direction? Il savait pourtant que les falaises le bloqueraient tôt ou tard. Il constata son erreur en arrivant au bord du précipice. Une furieuse toux le secoua en tous sens. Il expectora quelques glaires chargées de sang.

Mais cela l'effraya bien moins que ces deux silhouettes se dirigeant vers lui. Alice, tenant sa robe relevée, gambadait sur le chemin. Elle était suivie de Casper qui avait, pour l'occasion, troqué sa hache contre une lourde épée.

— Il ne fallait pas fuir! commença la fillette en stoppant enfin sa course à quelques pas de lui.

L'adolescent se tenait dans son ombre, le regard dur.

— Je vous avais ordonné de rester dans la chambre. Vous m'avez désobéi. Notre collaboration ne commence pas sur de bonnes bases.

De quoi pouvait-elle bien parler?

— Ici sera le royaume d'Alice, déclara-t-elle en faisant un grand geste du bras vers la terre. Au tout début, je voulais une terre sans adulte et puis je me suis rendue à l'évidence. Il serait impossible de continuer à vivre sur l'île. Il nous faut un fantoche, quelqu'un qui s'occuperait de toute la partie administrative contre une promesse de ne jamais lui faire de mal. Vous êtes la personne idéale pour cette charge. Votre ancien métier vous a permis de toucher un peu à tout.

Paul tentait de maîtriser sa respiration. Le discours de la fillette ne l'y aidait pas.

— Médecine, droit, relations publiques, énuméra-t-elle. C'est un pacte que je vous propose aujourd'hui, Kite. Ce ne sera pas très difficile. Il vous suffira d'imiter de temps à autre de nouvelles voix pour que nos fournisseurs ne détectent pas notre supercherie.

La pluie revint subitement. Ce n'était pas une bruine, mais des gouttes plus lourdes.

— Tu es folle, Alice, parvint-il à lâcher. Tu voulais proposer ce marché à ton père, mais maintenant il ne te reste plus que moi...

Les traits du visage de la petite fille se durcirent.

— Il n'en a été jamais question. Mon père m'est bien plus utile mort que vivant.

Kite se sentit défaillir. Et si ses soupçons de parricide se révélaient justes ?

— Il était Wilfred, continua Alice, toujours sur le même ton posé.

Casper ouvrit grand ses yeux.

— J'ai rapidement découvert son petit manège, mais je ne le lui ai jamais dit. J'ai compris qu'il pouvait m'être d'une grande aide. Il suffisait d'entrer dans son jeu. Il m'a très rapidement désignée comme sa seconde. Il exerçait une telle influence sur les enfants qu'il me suffisait de suivre ses pas et de me débarrasser de lui au moment opportun, lorsqu'il prendrait définitivement trop d'importance dans l'imaginaire de mes camarades...

« Je vais me laisser tomber en arrière... » divaguait Kite. « Je n'ai pas à supporter ces paroles... Je vais me faire déchiqueter sur les rochers. »

— C'est également toi qui as tué Virginia ? hoqueta l'ex-inspecteur.

— Non, sourit Alice, elle s'est tuée toute seule. Un

beau matin, son imagination a pris le dessus sur son sens des réalités. Elle a déclaré vouloir libérer l'île de la présence des trows. Elle disait que pour éliminer ces monstres, elle devait se déguiser en fée. Elle a confectionné elle-même ses ailes et tenait à ce qu'on les lui accroche. J'ai tenté de l'en dissuader, mais rien n'y a fait.

— Et Derkemp, haleta Paul, pourquoi le punir aussi durement?

— Il a manqué de respect à mon égard en me traitant très grossièrement. Et puis il voulait partir de l'île. C'est un homme très intelligent. Il avait plus ou moins découvert notre plan. Je ne pouvais prendre le risque de le laisser en liberté. C'était un espion des adultes comme tous les professeurs, une taupe qui vit en nous apprenant des sottises.

— Comment as-tu assassiné ton père, Alice?

— Je ne répondrai plus à vos questions tant que vous n'aurez pas accepté ma proposition...

— Il n'en est pas question, cracha Kite.

Casper fit un pas en avant.

— Je veux vous laisser la vie sauve, fit-elle.

— Je préfère encore crever!

Il sentait que sa conscience lui échappait. Une autre force prenait possession de ses sens. C'était une sensation grisante.

— Je vais vous expliquer comment j'ai supprimé mon père...

Elle sortit un flacon de son corsage plat.

— C'était un grand fumeur de cigares. Comme tous les adultes, il avait ses petites habitudes. Toujours la même marque, toujours le même humidificateur...

Kite avait bien peur d'avoir déjà saisi.

— Avec l'aide de Livingstone, nous avons choisi un poison inodore qui ne serait pas foudroyant. Wilfred devait tirer sa révérence dans les règles, sinon les enfants n'auraient pas compris. J'ai enduit le bout de tous ses cigares.

— Et des miens, continua Kite. La boîte que tu m'as offerte...

Ses maux de ventre s'expliquaient, à présent. Son corps devait déjà être intoxiqué.

— C'est exact.

Toujours ce même sourire satisfait.

— Vous représentiez un danger pour nous et je ne voulais pas prendre de risque inutile. J'ai longuement hésité à vous administrer une dose plus forte dans vos sandwiches. Pour papa, je l'ai fait le soir de votre combat, lorsque je l'ai aidé à se relever. Wilfred avait perdu, Wilfred était mort dans l'esprit des enfants. Il fallait que je prenne rapidement sa suite.

Elle brandit la fiole vers Paul.

— Acceptez, Mr Kite, et je vous donnerai cette seule dose d'antidote préparée par le docteur Livingstone. Nous avons été obligés de nous montrer peu courtois avec sa femme pour qu'il nous la prépare et ne fasse rien pour sauver mon père... Vous avez un jour tout au plus pour l'avaler.

Un orage se préparait. Le ciel se mit à gronder.

— Notre collaboration est maintenant entendue, conclut Alice.

Mais Paul fit un pas en arrière. Il se retrouva à l'extrême limite du précipice.

— Si je me laisse tomber, tu seras bien embêtée...

La blondinette secoua la tête.

— Non. Ce sera moins commode, voilà tout ! Casper a une voix assez grave et il est en train de muer. Dans quelques mois, il pourra paraître adulte au téléphone.

— Tu n'as pas peur de faire des cauchemars après tout ce que tu as commis ? demanda-t-il.

La petite fille prit le temps de répondre.

— Le cauchemar, Mr Kite, il m'habite dans la journée, quand je pleure ma maman. La nuit, je fais des rêves merveilleux, je ne vis pas, tout m'appartient!

Elle s'arrêta.

— J'aimerais que ces nuits deviennent jours sur Blackbird...

Si l'ex-inspecteur s'était trouvé en pleine possession de ses moyens, si la douleur ne l'avait pas diminué, il aurait très probablement accepté la fiole tendue, puis se serait défilé par la suite. Mais il ne parlait plus en son âme et conscience.

— Tu as supprimé ton père... cracha-t-il, les yeux fous. Ça ne t'a donc pas suffi de tuer ta mère le jour de ta naissance?

Il savait que la petite fille ne pourrait supporter une telle phrase. Pourquoi était-elle sortie aussi facilement? Comme une pulsion suicidaire, pour faire cesser toute douleur? Pourquoi devenir si haineux devant une petite fille de onze ans qui lui proposait de le protéger?

Le visage d'Alice se transforma pour n'être plus que haine. Des larmes se formèrent dans le coin de ses yeux. Elle jeta la fiole à la mer et se recula vers Casper.

— Ce n'est pas moi qui ai tué ma mère! brailla-t-elle. C'est mon père lorsqu'il est entré en elle!

De grosses larmes se mêlèrent aux gouttes de pluie sur ses joues. Paul la regardait avec insistance. Elle donna une petite tape sur le dos de son soldat.

Alors, le jeune homme se rua sur Kite en criant.

19

Le jour était encore présent même si la lumière déclinait. Cela permit à l'ex-inspecteur d'éviter le premier coup d'épée qui manqua lui trancher la carotide. Le jeune homme semblait animé d'une rage démentielle, entretenue par la voix d'Alice que portait le vent violent de l'orage.

Ils avaient échangé leurs positions. Paul se retrouvait face à la falaise. Il n'arrivait pas à se résoudre à lutter contre ce gamin. Même s'il avait eu une épée, il l'aurait jetée à terre.

Le rocher en forme de tête de corbeau veillait sur eux. Les deux combattants se regardaient fixement, haletant comme des animaux. Kite pouvait s'élancer vers le gamin. Un réflexe de recul l'aurait très probablement envoyé à la mer.

Mais il ne voulait pas le tuer.

« C'est pourtant lui ou moi », se répétait-il.

Mais rien n'y faisait.

Il fallut que Casper fonce sur lui et lui assène un sévère coup dans les tibias pour qu'il tombe à terre.

Derrière lui, Paul entendit Alice se réjouir. Il ne parvint pas à se relever, alors le garçon vint le chevaucher à terre pour lui porter le coup de grâce. L'adolescent était assis sur le ventre ballonné de Kite et la joie de la victoire se lisait déjà dans ses yeux. Il leva son épée bien haut.

Paul n'avait plus d'autre solution que de répliquer. Ou bien il allait se faire fracasser le crâne. Il ne pensait plus à rien et se dit qu'après tout, son rival était un adversaire comme un autre.

En un dixième de seconde, il farfouilla avec sa main droite sur le sol et se saisit d'une branche d'arbuste dépourvue de feuilles.

Dans un sursaut de haine, il projeta son bras vers le visage de Casper et la branche transperça l'œil du gamin, qui lâcha prise immédiatement. Son épée fit un bruit sourd en tombant sur le sol. Il se releva en se tenant le visage à deux mains et rejoignit Alice en hurlant.

La petite fille trépignait de rage et n'eut même pas un regard pour son garde blessé. Elle jetait de grands coups d'œil vers l'épée à terre, mais n'osait venir la ramasser.

Kite se releva avec difficulté. Il venait de blesser gravement un enfant, mais son sens des valeurs ne fut même pas écorné. Soudain, il aperçut les premières marches de l'escalier descendant vers la crique. Sir Grant lui avait confié qu'une barque y était amarrée.

Il voulait fuir l'île à tout prix.

Alice le regarda descendre. Il devait faire très attention, car la pluie avaient rendu les marches glissantes. Il ne pouvait s'aider d'une quelconque rampe.

« Ce serait idiot que tu te brises la nuque maintenant », pensa-t-il.

Une douleur folle lui ravageait la gorge. Il se dit qu'avec tout cela, il ne pourrait jamais plus parler.

Lorsqu'il arriva en bas, il constata que la mer était bien plus agitée que tout à l'heure. L'orage éclatait à l'horizon et n'épargnerait très probablement pas Blackbird. C'était une folie de partir par ce temps, mais c'en était une plus grande encore de rester sur l'île.

Il s'engagea sur l'embarcadère taillé à même la pierre et défit les amarres du bateau de fortune. Il se retourna pour constater qu'Alice n'était plus en vue.

Kite se jeta dans la barque. L'esquif tanguait de tous les côtés. Il essaya de le stabiliser à grands coups de rames.

En sachant cet objectif impossible à tenir, il avait à partir de maintenant vingt-quatre heures pour rejoindre la côte et se rendre à l'hôpital.

Dans le cas contraire, le poison le tuerait.

Où les ouailles appliquent ce qu'Alice leur a appris
pendant tout le livre

Il était tard lorsque Mrs Burbank entendit les toc toc toc venant de la porte d'entrée. Elle se doutait bien qu'il s'agissait de ses deux petits chenapans de fils. S'ils n'étaient pas rentrés avant la nuit, elle les aurait grondés un petit peu. Mais ils ne l'avaient jamais déçue. C'était même une fierté pour elle que de raconter à ses amies les bons résultats scolaires et sportifs de ses deux bambins.

— Ouvrez! Ouvrez! fit Mark. Nous sommes perdus, loin de chez nous... Nos parents nous ont abandonnés.

Mrs Burbank ouvrit la porte en souriant. Que ses fils étaient espiègles! Elle s'était souvent demandé de qui ils pouvaient bien tenir pour être si fantasques!

Elle sortit sur le pas de la porte, les mains sur les hanches.

— Mark! Sean! Enfin! Vous n'êtes pas rentrés hier soir. On se faisait du souci avec papa... Il paraît que Virginia est morte. Oh! C'est atroce! Je vous défends de traîner dehors, à partir de maintenant...

Sean s'empara de la hache posée contre le mur et s'élança vers sa mère. La lame se planta dans sa poitrine. Le sang envahit son chemisier. Hébétée, la maman des deux gentils garçons ne pensa même pas à

crier. Elle s'effondra dans un gargouillis devant les sourires de ses enfants.

Mark fit un clin d'œil à son frère en ricanant.

— Qu'on lui coupe la tête!

20

La mer était déchaînée. Les vagues se fracassaient avec force contre la petite embarcation de bois. Au loin, Paul pouvait apercevoir la flamme gazeuse du terminal pétrolier de Flotta.

En se tournant une dernière fois vers Blackbird Island, il distingua de nouveau la silhouette d'Alice, battue par les vents. Elle était montée au sommet du rocher et se tenait droite.

Elle se sentait forte, victorieuse. Elle savait que l'île lui appartenait, à présent. Si la barque ne se renversait pas dans la tempête, ce touriste insolent pourrirait par le poison. Elle préférait néanmoins que les flots rejettent son cadavre déchiqueté sur le rivage de Blackbird un de ces prochains jours. Elle aurait ainsi l'impression de commander également la mer.

Paul Kite fronça les sourcils pour tenter de distinguer plus précisément l'enfant à travers les gouttes salées. Il y parvint et le flou se composa. Il vit nettement la tête de la petite fille éclairée par la pâle lumière du crépuscule. Les yeux grand ouverts, elle regardait l'immensité de l'océan. Un sourire d'adulte défigurait son visage d'enfant.

« Sur l'eau calme voguant sans trêve...
Dans l'éclat du jour qui s'achève...
Qu'est notre vie, sinon un rêve ? »

Lewis Carroll, *De l'autre côté du miroir*

Composition réalisée par EURONUMERIQUE

Impression réalisée sur CAMERON par

BRODARD & TAUPIN

GROUPE CPI

*La Flèche
en novembre 2001*

Imprimé en France
Dépôt éditeur : 15805-11/2001
Édition : 01
N° d'impression : 10072
ISBN : 2-7024-3072-4